MIS AMIGOS»

JUAN 15:15

PARA:

DE:

FECHA:

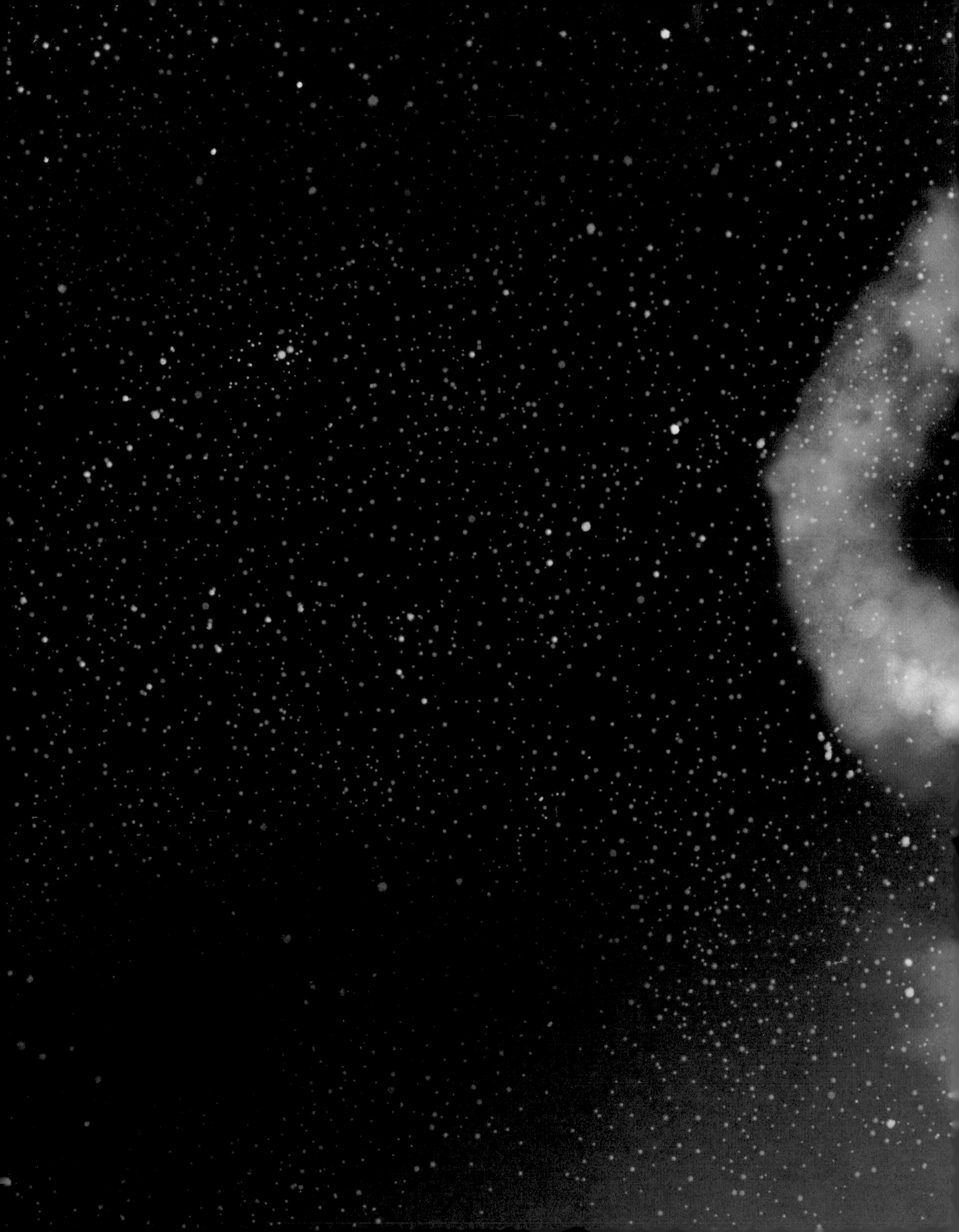

AMIGOS DE DIOS

BIBLIA ILUSTRADA

Por qué Dios ama a gente como yo

Escrito por Jeff White

Ilustrado por David Harrington

PATMOS

Biblia ilustrada amigos de Dios: Por qué Dios ama a gente como yo

Créditos

Autor: Jeff White
Editor: Jan Kershner
Ilustraciones: David Harrington
Jefe de dirección creativa: Joani Schultz
Director creativo: Michael Paustian
Diseñador principal: Stephen Caine
Editora asistente: Becky Helzer
Traducción y edición en español: Grupo Scribere
Adaptación de diseño en español: Adrián Romano

ISBN: 978-1-64691-024-3
Impreso en Brasil | *Printed in Brazil*

DEDICATORIA

Gracias a todos los maestros de Escuela Dominical que hicieron que las historias bíblicas cobraran vida ante mí cuando era niño. Todavía las recuerdo.

Gracias al mejor equipo del mundo: David Harrington, Jan Kershner, Michael Paustian, Stephen Caine y Joani Schultz. Gracias a ustedes este libro es tan maravilloso.

Y, sobre todo, gracias a las personas que más amo: mi esposa, Amy y mis hijos: Luke, Daisy y Cooper. Ustedes ponen palabras en mi boca y al mismo tiempo me dejan sin palabras.

J. W.

Quiero agradecer a mi Señor y Salvador Jesús por Su amor y Su gracia, y por permitirme trabajar en este libro; ha sido una tarea de amor. Para mi esposa bella, Sidney, y nuestros maravillosos hijos, Chase, Nick y Emma; no tengo palabras para expresar mi amor por ustedes.

D. H.

INTRODUCCIÓN

Nunca has visto una Biblia como esta. Tiene las narraciones clásicas que todos hemos llegado a conocer y amar a través de los años: el arca de Noé, Josué y la batalla de Jericó, Ester que salva a su pueblo, y muchas más.

Pero este libro es diferente.

Cada historia se narra desde la perspectiva de un personaje bíblico. Eva nos cuenta cómo fue ser tentada en el huerto de Edén. Moisés habla sobre su tensa huida de Egipto y la división del Mar Rojo. Sentimos de cerca la confianza de David al recordar su enfrentamiento a uno de los mayores bravucones de todos los tiempos.

Sin embargo, estas charlas en primera persona no son lo único que hace que este libro sea especial. Cada historia revela la **relación personal de Dios con los individuos**. Llegamos directamente al corazón de cada personaje y vemos de primera mano cómo cada una de sus vidas cambió a través de su amistad con Dios.

Y al final de cada capítulo, tendrás un **encuentro cara a cara** con el narrador, quien revelará cómo Dios estaba en el centro de la historia, y cómo esta historia se relaciona hoy con tu vida.

Lo mejor de todo es que la *Biblia ilustrada amigos de Dios* te ayudará a profundizar en lo que realmente es la fe: **una relación personal con Aquel que más te ama**.

Así que, reúne a tu familia y prepárate para encontrarte con Dios y Sus amigos queridos como nunca antes.

AMIGOS DE DIOS

BIBLIA ILUSTRADA

Por qué Dios ama a gente como yo

CONTENIDO

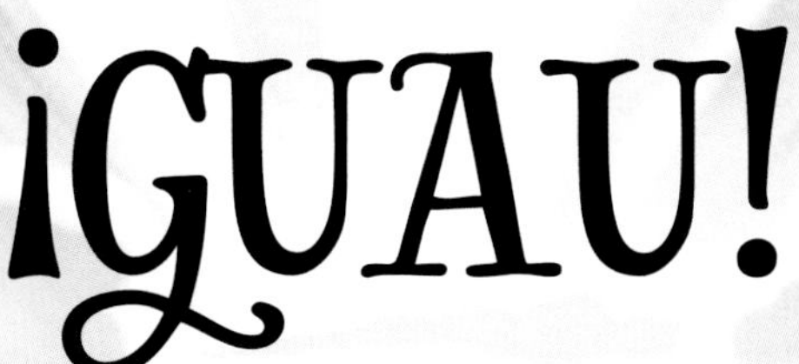

¡GUAU! ¡SIMPLEMENTE GUAU!

EL DÍA QUE DIOS ME HIZO

GÉNESIS 1–2:24

POR ADÁN

GUAU.

Quiero decir: *¡GUAU!*

No puedo creer lo que me pasó hoy.

Fui *creado*. ¡Y fue INCREÍBLE!

Dios había estado muy ocupado en los últimos días. Primero no había nada. Entonces Dios hizo algo nuevo cada día. La luz, los océanos, el cielo, el sol y la luna, las plantas, los árboles, las flores, los peces, las aves, y todo lo demás. Todo fue hecho con un propósito y fue bueno.

Ayer Dios hizo estas cosas llamadas animales. ¡Son criaturas maravillosas! Animales grandes y pequeños. Unos peludos y otros toscos. Los moteados y los de rayas. Algunos tienen cuellos largos, otros dientes afilados. Cada uno es único. ¡Dios es sumamente creativo!

Y luego Dios hizo algo súper especial. Me hizo a MÍ. ¡Dios tomó polvo de la tierra, el polvo más fresco que jamás hayas visto, ¡y me convirtió en el primer ser humano, recién creado, y feliz de conocerte!

El mundo de Dios es asombroso. Me encanta respirar el aire fresco y comer las frutas deliciosas en el huerto. Pero lo que más me gusta es lo que Dios hizo justo para mí.

Primero, Dios hizo que me quedara dormido. Entonces Dios tomó una de mis costillas y la convirtió en la criatura más deslumbrante que jamás haya visto: ¡una mujer!

¡Ella es hermosa! Y ahora es mi esposa. Nosotros protegemos los animales y cuidamos el huerto en el que juntos vivimos; el huerto de Edén. Dios nos ha dado todo lo que necesitamos.

Dios *realmente* debe amarnos.

¡Guau!

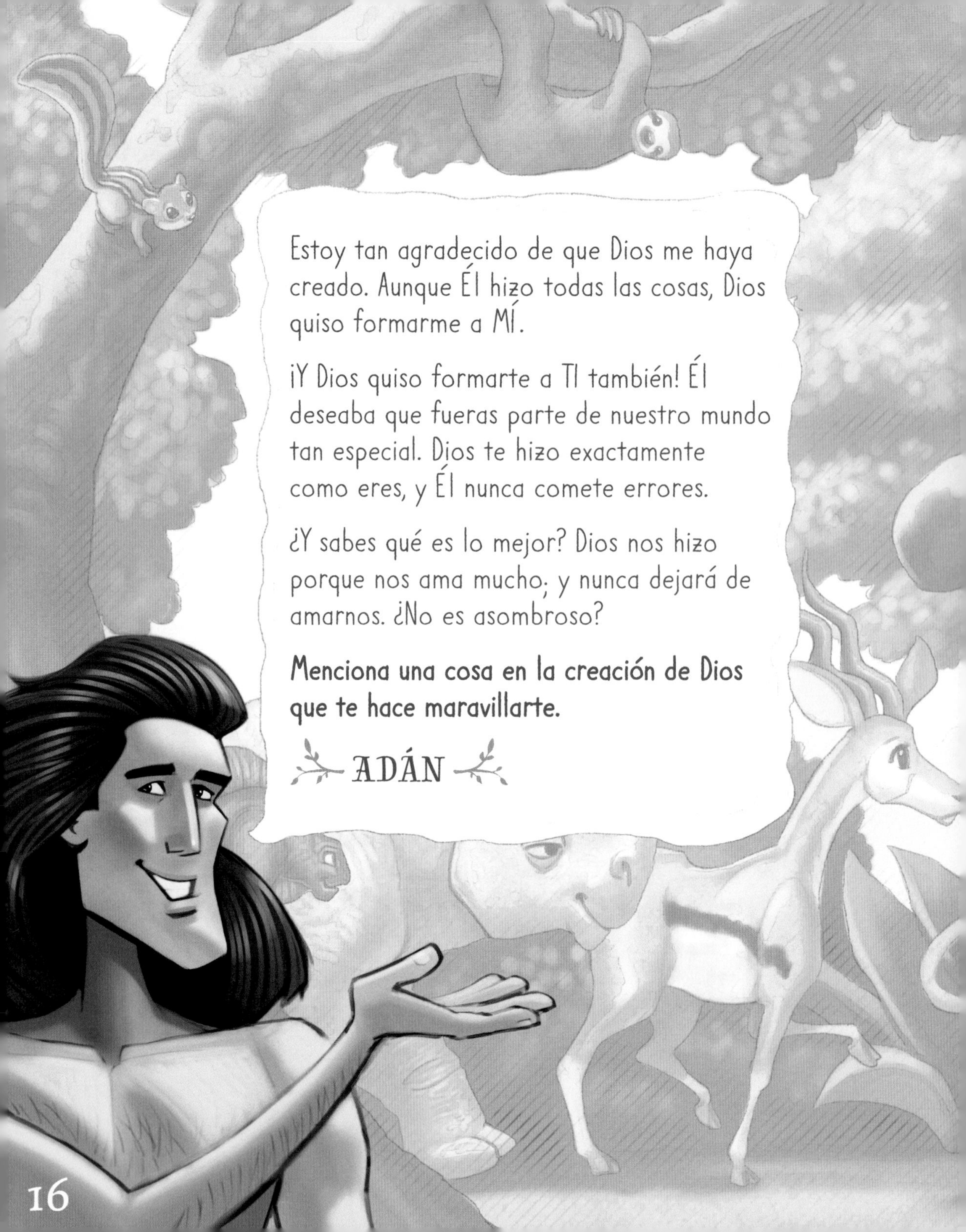

Estoy tan agradecido de que Dios me haya creado. Aunque Él hizo todas las cosas, Dios quiso formarme a MÍ.

¡Y Dios quiso formarte a TI también! Él deseaba que fueras parte de nuestro mundo tan especial. Dios te hizo exactamente como eres, y Él nunca comete errores.

¿Y sabes qué es lo mejor? Dios nos hizo porque nos ama mucho, y nunca dejará de amarnos. ¿No es asombroso?

Menciona una cosa en la creación de Dios que te hace maravillarte.

ADÁN

La Serpiente, el Árbol, y Yo

GÉNESIS 3

POR EVA

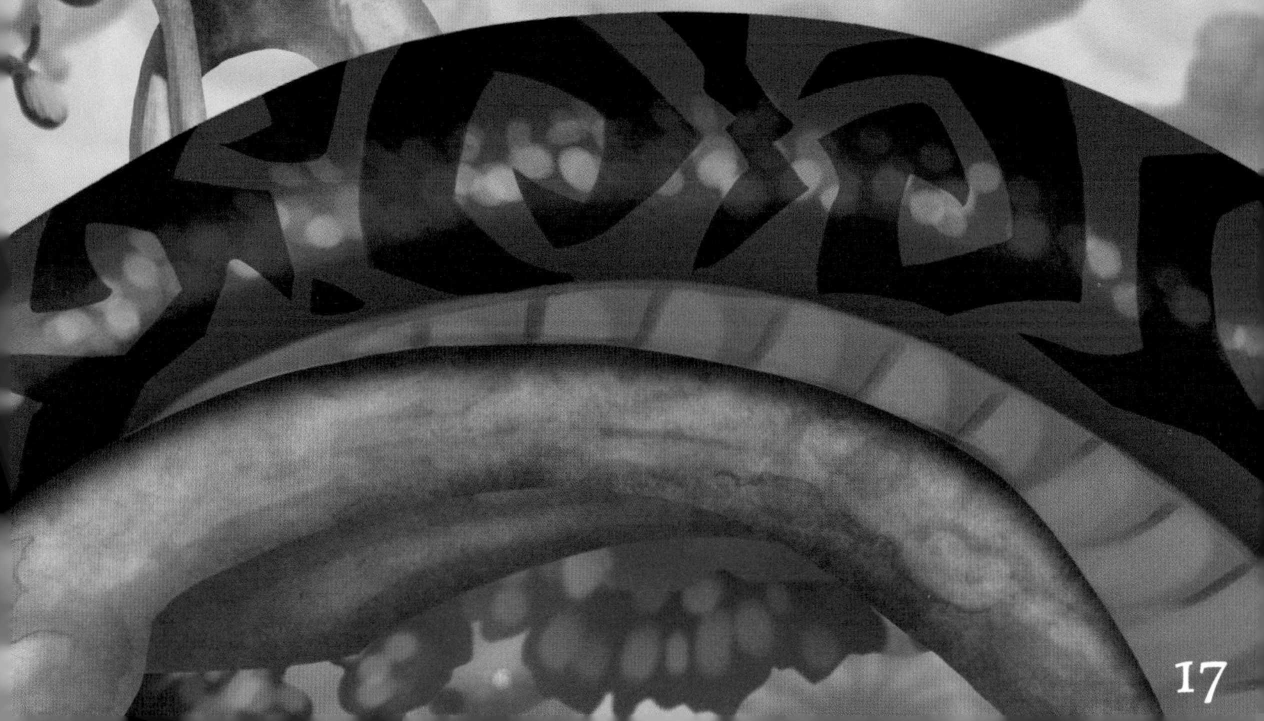

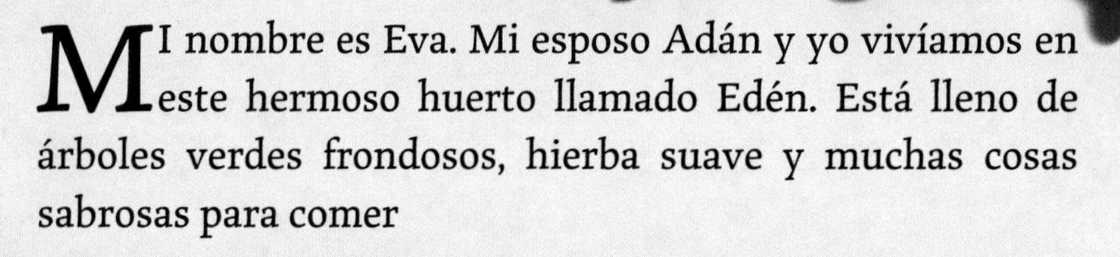

MI nombre es Eva. Mi esposo Adán y yo vivíamos en este hermoso huerto llamado Edén. Está lleno de árboles verdes frondosos, hierba suave y muchas cosas sabrosas para comer

¡Es perfecto! El Edén tenía todo lo que yo podría necesitar.

—¿Todo? —dijo una voz detrás de mí.

Me viré y vi una serpiente enrollada en una rama. Era una criatura hermosa con ojos penetrantes. Parecía muy inteligente.

—Disculpa mi interrupción —añadió la serpiente—, pero no tienes *todo* lo que puedas desear.

Respondí:

—Tengo un lugar suave donde dormir, un hombre que me ama y nunca paso hambre. Dios me ha dado todo lo que necesito.

—¿Y qué hay del gran árbol frutal en el medio del huerto? —preguntó la serpiente.

Se me hizo un nudo en el estómago al pensar en aquel árbol.

—Dios dijo que si comemos ese fruto, moriremos —expresé.

La serpiente rio. Luego se acercó deslizándose y susurró:

—Eso es una tontería. Dios sabe que no morirán. También sabe que es el mejor fruto del huerto.

—*¿El mejor fruto?* —me quedé pensativa—. ¿Es eso cierto?

—Oh, sí. Dios no te contó el secreto especial sobre ese árbol. ¡Si comes de su fruto, verás cosas increíbles! ¡Podrás distinguir el bien del mal; como Dios mismo! ¿No sería maravilloso ser como Dios? —preguntó la serpiente.

¡Vaya!, pensé. *Dios es súper poderoso. Y es muy sabio.* Yo quería ser sabia y poderosa como Dios. Y ese fruto sí que se veía delicioso. Solo de pensar en él se me hacía agua la boca.

—¿Qué tal una mordidita? —silbó la serpiente—. Solo pruébalo. La decisión es tuya.

NO podía quitar los ojos de ese árbol. Si no probaba ese fruto, no podría pensar en otra cosa por el resto de mi vida.

Así que tomé el fruto y le di una mordida.

Mmmmm ¡Estaba MUY BUENO!

Llamé a mi esposo:

—¡Adán! ¡Tienes que probar esto!

—¿Qué es?

—Es el fruto del árbol que está en medio del huerto. ¡Es lo mejor que he probado en mi vida! —le comenté.

—¿Pero no es ese el árbol del que no podemos comer? —preguntó Adán, mirando con nerviosismo a su alrededor.

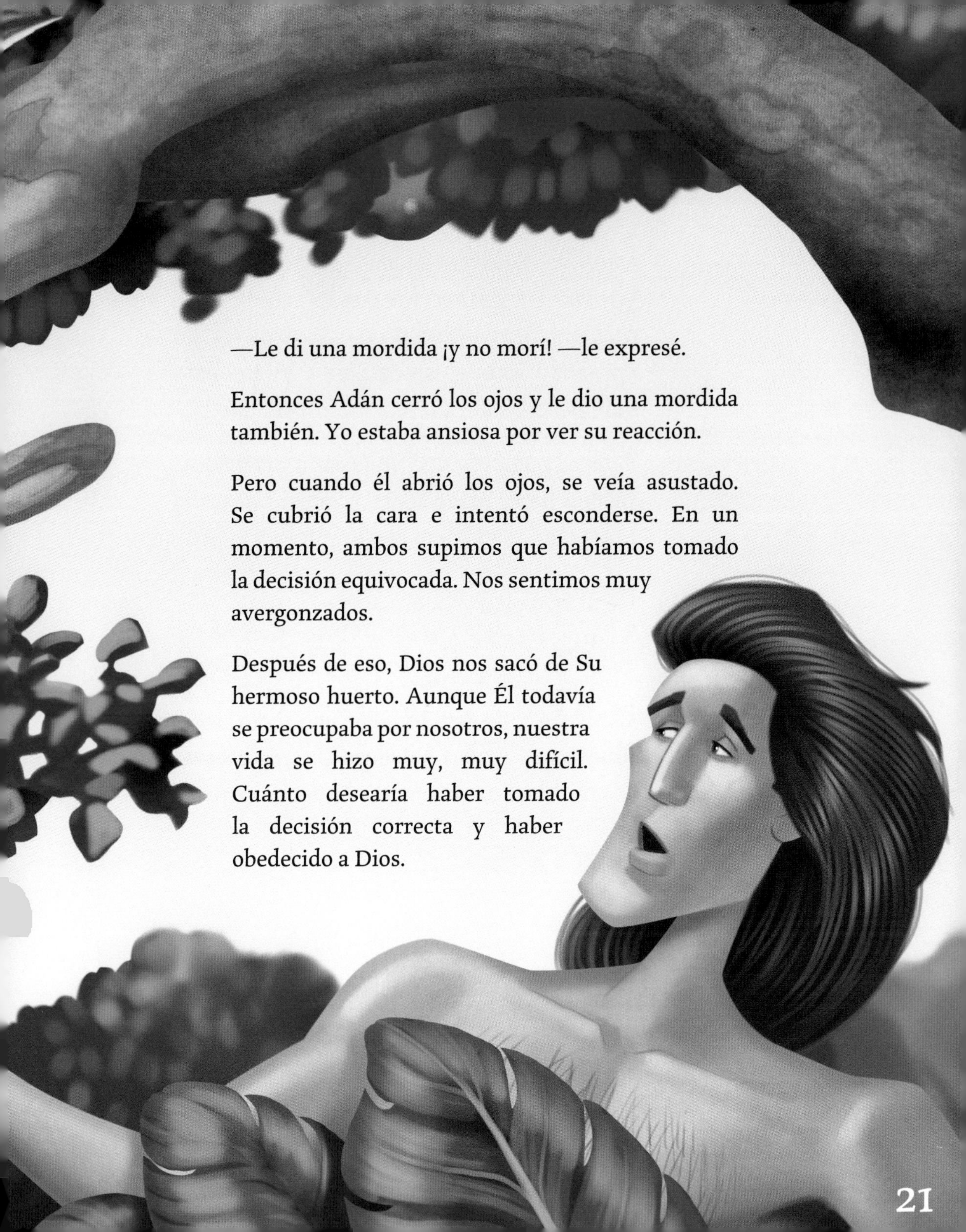

—Le di una mordida ¡y no morí! —le expresé.

Entonces Adán cerró los ojos y le dio una mordida también. Yo estaba ansiosa por ver su reacción.

Pero cuando él abrió los ojos, se veía asustado. Se cubrió la cara e intentó esconderse. En un momento, ambos supimos que habíamos tomado la decisión equivocada. Nos sentimos muy avergonzados.

Después de eso, Dios nos sacó de Su hermoso huerto. Aunque Él todavía se preocupaba por nosotros, nuestra vida se hizo muy, muy difícil. Cuánto desearía haber tomado la decisión correcta y haber obedecido a Dios.

Estoy muy avergonzada. Tenía todo a mi favor y lo eché a perder. No puedo culpar a la serpiente. En verdad no puedo. Dios me había enseñado lo que estaba bien y lo que estaba mal, pero pensé que yo sabía más que Él.

A veces nuestras decisiones son divertidas y fáciles; pero otras veces tomar la decisión correcta *no es* fácil. Eso lo aprendí a las malas.

Felizmente, de todas formas, Dios aún me ama. A pesar de nuestras decisiones equivocadas, el amor de Dios por nosotros nunca se acaba.

¿Y tú? ¿Cuándo has tomado una mala decisión? ¿Qué pasó? ¿Cómo hubieran sido diferentes las cosas si hubieras tomado la decisión correcta?

EVA

Gracias a Dios por los nuevos comienzos

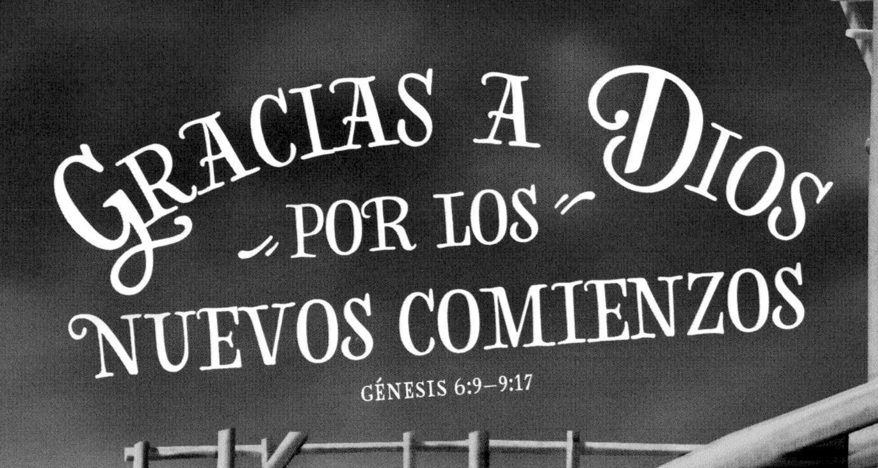

GÉNESIS 6:9–9:17

POR NOÉ

ME gusta el agua de la lluvia tanto como el viento que la acompaña. Sabe bien. Es refrescante. Mantiene mis plantas reverdecidas y mi cuerpo con vida.

Pero amigo, ay, amigo, hubo un tiempo en el que hubo DEMASIADA agua en mi vida.

Verás, Dios me dijo que se sentía descontento. MUY descontento. La gente del mundo se había vuelto bastante... mala. En realidad, eran terribles. Eran violentos y malvados. Y Dios había llegado a Su límite.

Entonces Él me dijo que construyera una barca.

—¿Una barca? —pregunté—. Ni siquiera vivo cerca del agua.

—Me encargaré de eso —expresó Dios—. Voy a destruir a todos los seres vivos de la tierra. Pero como eres un buen hombre, voy a salvarte a ti y a tu familia.

Dios no tuvo que decírmelo dos veces. Al momento me puse a trabajar en esa barca. Mis tres hijos, Sem, Cam y Jafet, también ayudaron.

ERA una barca ENORME, lo suficientemente grande como para ser el zoológico más grande en la historia del mundo. Dios quería que trajera dos animales y dos aves de cada tipo, así como suficiente comida para alimentarlos a ellos y a mi familia. (Dejamos a los peces; a ellos no les preocupaba el exceso de agua).

Luego llovió. FUERTE. Y durante cuarenta días y cuarenta noches la lluvia no se detuvo. Cuando la tormenta acabó, todo el planeta estaba inundado.

Con el tiempo, el agua comenzó a bajar, y finalmente la barca descansó sobre una montaña. Habíamos estado flotando por más de un año. ¡Qué bien nos sentimos al salir de la barca y estirar las piernas en tierra firme nuevamente!

Pero nos sentimos aún mejor al saber que Dios le había dado al mundo una segunda oportunidad. Aunque Él quería comenzar de nuevo, todavía nos amaba. Ahora mi familia puede reconstruir nuestro mundo y honrar a Dios en todo lo que hacemos. Dios nos dio una nueva oportunidad a todos.

Entonces, ese soy yo: Noé. Un hombre de familia. Constructor de barcas. Guardián del parque zoológico. Y lo más importante, amigo de Dios.

Tú podrías pensar que estoy harto de tanta agua en mi vida. Pero Dios creó el agua para hacer muchas cosas buenas también. El agua da vida a todos los seres vivos.

Dios también es así. Él puede limpiar todo lo malo de nuestra vida. Y, asimismo, Dios llena nuestra vida con muchas cosas buenas.

Incluso Él prometió no volver a inundar la tierra. El arcoíris es una señal de esa promesa, y nos recuerda que Dios nos ama y nos da un nuevo comienzo.

¿Te han dado alguna vez una segunda oportunidad? ¿Cómo te sentiste al dejar atrás tus errores y comenzar de nuevo?

NOÉ

Estrellas en Mis Ojos

GÉNESIS 15

POR
ABRAM

HAY promesas, y también hay PROMESAS.

Dios me hizo una promesa que era tan difícil de creer que TUVE que creerla.

Todo comenzó cuando empecé a sentir lástima por mí mismo. A pesar de que Dios me había bendecido con riquezas y muchos años de vida, a pesar de que había ganado batallas y tenía muchos amigos, y aunque Dios me había protegido más veces de las que podía contar, aun así, yo estaba triste.

Estaba triste porque Dios no me había dado ningún hijo con mi esposa amada, Sarai. ¿Cómo podría Dios bendecirme con tantas cosas, pero no darme una familia para compartir con ella?

¿Sabes lo que hizo Dios? Él me hizo una promesa.

Primero salimos al campo y Dios me mostró las estrellas en el inmenso cielo de la noche.

—¿Cuántas estrellas ves? —me preguntó Dios.

—¡Hay demasiadas para poder contarlas! —respondí.

ASÍ serán los descendientes que tendrás —dijo Dios—. Es una promesa.

Guau. Pensé. *¿Tantas generaciones saldrán de mí?* Esa es una familia bastante grande... ¡una familia ENORME! Sabía que Dios me amaba, así que le creí.

Pero Dios no terminó ahí.

—Tu familia necesitará un lugar para vivir, así que te daré toda la tierra que ven tus ojos —añadió Dios.

De nuevo, *GUAU.*

Una cosa es segura. Nunca volveré a mirar las estrellas de la misma manera.

Creo que hay algo realmente interesante sobre las promesas de Dios. Estas a menudo llegan cuando menos lo esperamos. Justo cuando todo parece perdido, Dios aparece con una promesa para cuidarnos.

Eso es lo que hacen los amigos. Yo debería saberlo, porque la gente me llama «amigo de Dios».

Dios también es tu amigo. Cuando prestas atención a Sus palabras, puedes escuchar muchas de Sus promesas para ti. Y la más grande de todas es que Dios siempre te amará.

¿Le has hecho alguna vez una promesa a alguien? ¿Qué prometiste? ¿Fue fácil o difícil cumplir tu promesa? Cuando Dios hace una promesa, ¡Él SIEMPRE la cumple!

ABRAM

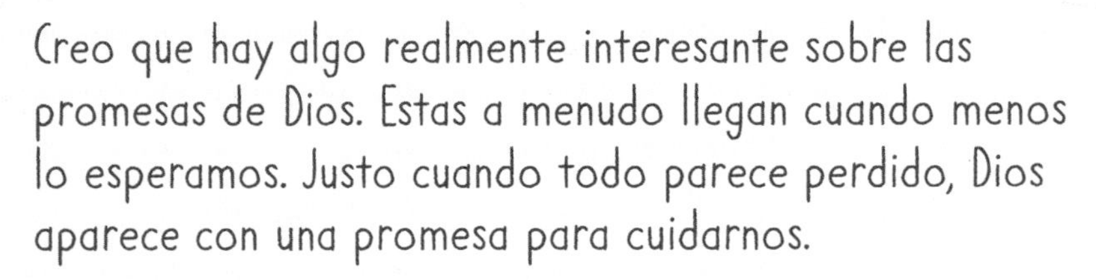

Cuestión de Risa

Génesis 18:1–15; 21:1–6

Por
Sara

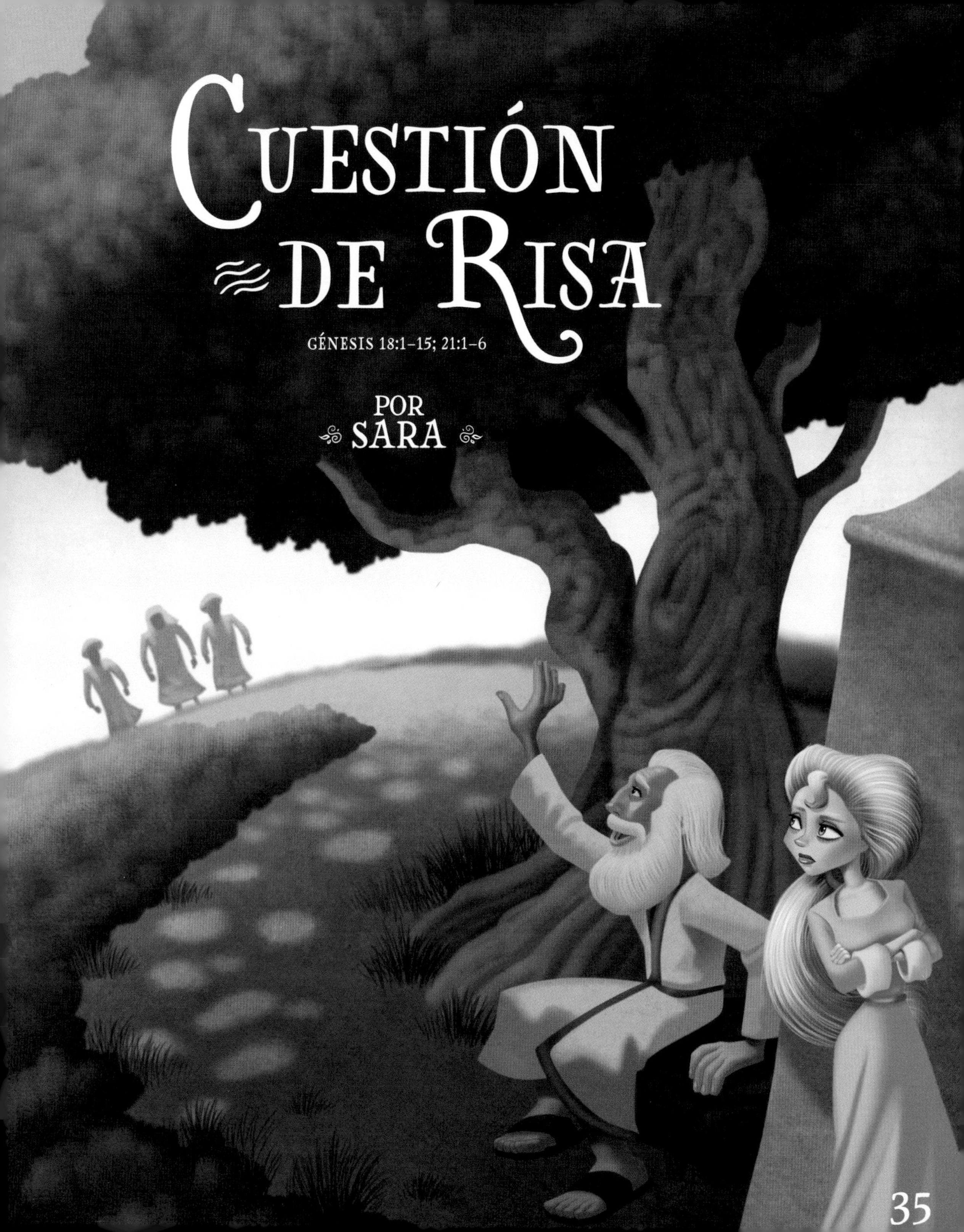

EN mi larga vida, yo he visto muchas cosas cómicas, pero nunca me he reído tanto como hoy.

Todo comenzó cuando vi a mi esposo, Abraham, hablando con algunos extraños afuera. Deben haber sido hombres bastante importantes porque Abraham les sirvió una comida de primera, con carne asada, pan, yogur y leche.

Mientras hablaban, escuché a uno de ellos afirmar:

—¡Cuando regrese el año que viene, tu esposa, Sara, tendrá un hijo!

¡Ja! Me reí en silencio para mis adentros. *¡Abraham y yo somos demasiado viejos para tener hijos!* Ya deberíamos ser abuelos, pero ya es demasiado tarde para nosotros.

Pero estos eran hombres de Dios. ¡Uy! Me escucharon.

—No te rías —dijo el Señor—. Nada es demasiado difícil para Dios.

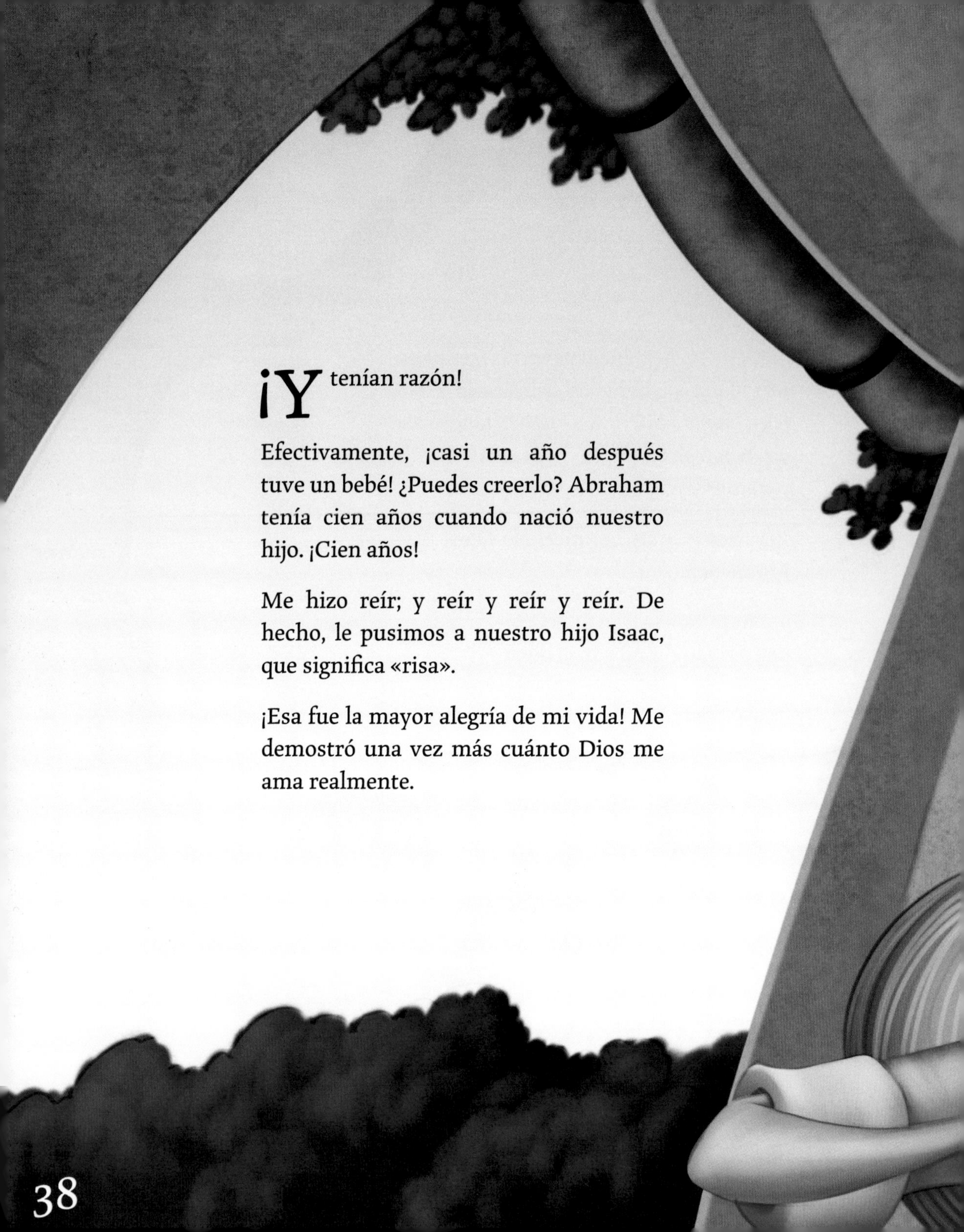

¡Y tenían razón!

Efectivamente, ¡casi un año después tuve un bebé! ¿Puedes creerlo? Abraham tenía cien años cuando nació nuestro hijo. ¡Cien años!

Me hizo reír; y reír y reír y reír. De hecho, le pusimos a nuestro hijo Isaac, que significa «risa».

¡Esa fue la mayor alegría de mi vida! Me demostró una vez más cuánto Dios me ama realmente.

¿No es maravilloso estar alegre? Realmente nada en el mundo satisface más que la felicidad pura. Dios me enseñó esto de una manera que nunca esperé.

Cuando Dios afirmó que iba a tener un bebé, pensé que era una broma. Pero después de que Isaac nació, me reí por otro motivo. Dios me llenó de una alegría que nunca antes había sentido.

¡Dios también quiere darte gozo!

¿Qué te hace reír? ¿Qué te hace sonreír? ¿Qué te trae gozo? Dile a alguien que conozcas lo que más te agrada de él o ella. ¡Te aseguro que esto hará sonreír a esa persona!

SARA

Un final sorpresivo

GÉNESIS 27; 32–33

POR JACOB

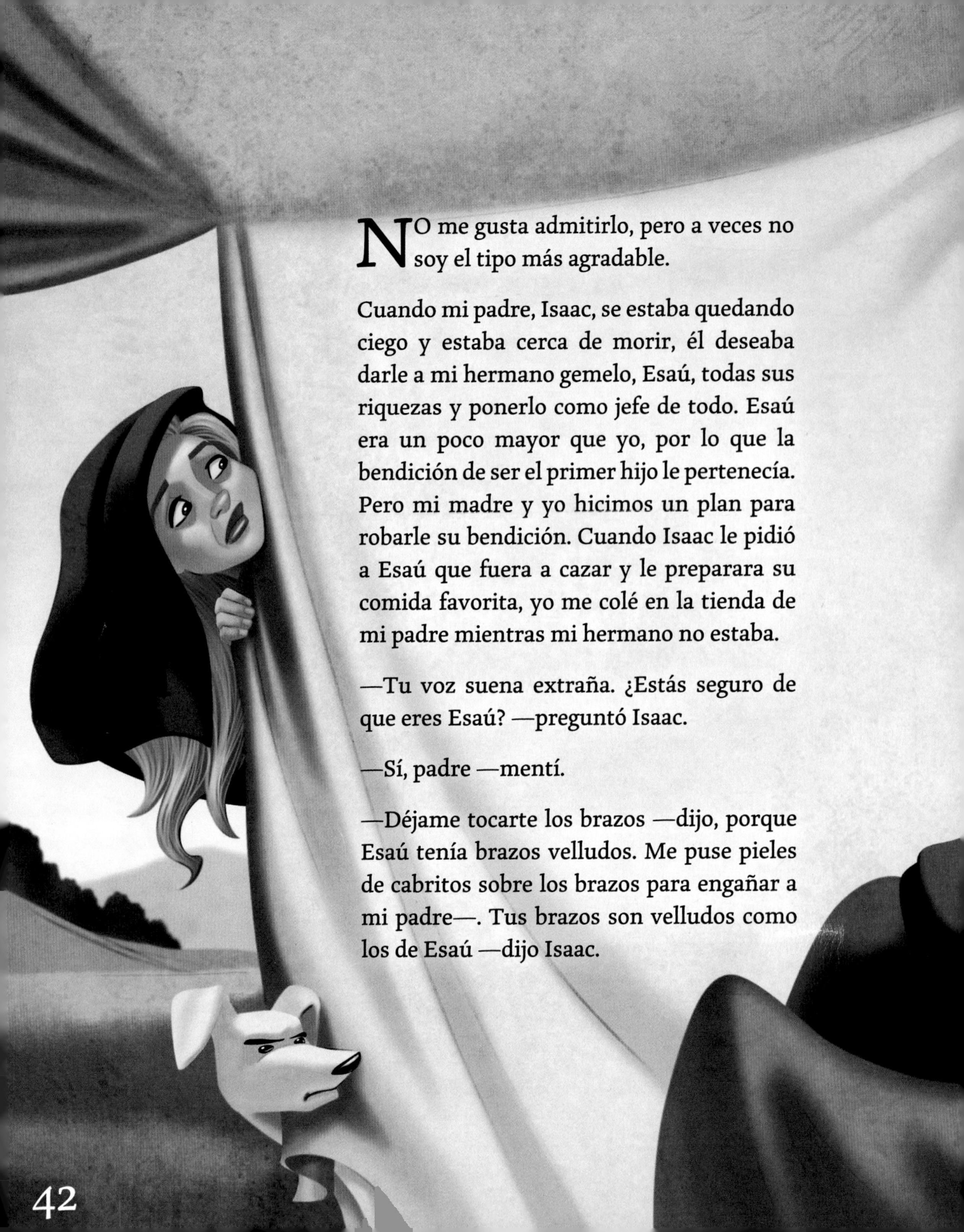

NO me gusta admitirlo, pero a veces no soy el tipo más agradable.

Cuando mi padre, Isaac, se estaba quedando ciego y estaba cerca de morir, él deseaba darle a mi hermano gemelo, Esaú, todas sus riquezas y ponerlo como jefe de todo. Esaú era un poco mayor que yo, por lo que la bendición de ser el primer hijo le pertenecía. Pero mi madre y yo hicimos un plan para robarle su bendición. Cuando Isaac le pidió a Esaú que fuera a cazar y le preparara su comida favorita, yo me colé en la tienda de mi padre mientras mi hermano no estaba.

—Tu voz suena extraña. ¿Estás seguro de que eres Esaú? —preguntó Isaac.

—Sí, padre —mentí.

—Déjame tocarte los brazos —dijo, porque Esaú tenía brazos velludos. Me puse pieles de cabritos sobre los brazos para engañar a mi padre—. Tus brazos son velludos como los de Esaú —dijo Isaac.

—Sí, padre —afirmé.

—Déjame olerte —expresó; así que me acerqué a él—. Hueles a campo. A fin de cuentas, debes ser Esaú —dijo Isaac.

Entonces mi papá me dio su bendición. Cuando él muriera, yo recibiría todas sus riquezas, y todos en nuestra familia me servirían.

Tan pronto como salí de la tienda, Esaú entró con aquella comida especial, y le pidió a nuestro padre su bendición. Pero ya no quedaba nada para mi hermano.

Esaú se puso furioso, y a partir de entonces me odió. Yo había mentido; había engañado; se lo había robado todo. Estaba tan enojado que planeó matarme.

Mi madre me envió a vivir con mi tío. Estuve lejos mucho tiempo. Me casé, tuve una familia y poseía muchos animales. Pero nunca olvidé a mi hermano. Yo quería arreglar las cosas.

Decidí hacer lo correcto, incluso si eso facilitara la venganza de Esaú. Envié un gran regalo a mi hermano: docenas de cabras, ovejas, burros, vacas y camellos. Esperaba que mi regalo lo calmara un poco. Resulta que nada de eso era necesario.

Cuando llegó Esaú, traía un ejército de 400 hombres con él. Me consideré perdido. Pero cuando Esaú me vio, corrió hacia mí y me abrazó. Me perdonó, en ese preciso momento.

Yo no lo merecía, pero de todos modos él me amaba. ¡Y los dos no podríamos haber sido más felices!

Mentir y hacer trampa nos puede hacer sentir terrible. Totalmente repugnantes. A nadie le gusta sentirse así.

Pero ser perdonado te hace sentir maravilloso. Te libera.

Dios también nos perdona. Y a pesar de que no lo merecemos, Dios nos ama. Dios siempre nos lleva a refugiarnos en Sus brazos.

Piensa en una vez que hiciste algo que lastimó a alguien. ¿Cómo te sentiste con eso? ¿Pediste perdón? Si necesitas pedirle a alguien que te perdone por algo, hazlo hoy.

JACOB

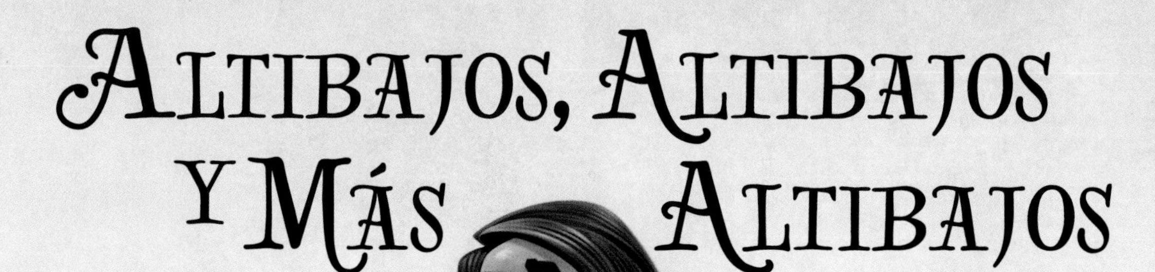

Altibajos, Altibajos y Más Altibajos

GÉNESIS 37; 39–47

POR JOSÉ

TODO empezó con una túnica.

Una túnica muy bonita, por decirlo con mis palabras. Tenía todos los colores del arcoíris. Mi padre me la regaló porque, bueno... yo era su favorito. Es posible que también me haya paseado por ahí con un poco de arrogancia, pensando que era un príncipe o algo así. Después de todo, en verdad tuve sueños en que la gente se inclinaba ante mí.

Así que no es sorprendente que esto molestara muchísimo a mis diez medio hermanos mayores. Los molestó tanto que comenzaron a odiarme. Y no pasó mucho tiempo antes de que comenzaran a planear matarme.

¡Y casi lo logran! Un día me agarraron, me arrancaron la túnica y me vendieron como esclavo a unos comerciantes. Luego tomaron mi túnica despedazada, le rociaron un poco de sangre, y le dijeron a nuestro padre que un animal salvaje me había matado.

Ese fue un momento bajo, en verdad. Pero Dios estaba moldeando mi historia.

LOS comerciantes me llevaron a Egipto y me vendieron a uno de los oficiales de Faraón. Se llamaba Potifar, y trabajé muy duro para él. Antes de darme cuenta, me puso a cargo de todo lo que poseía. En general, la vida me iba muy bien.

Es decir, hasta que la esposa de Potifar me acusó de un delito que no cometí. Potifar estaba furioso y me arrojó a la cárcel.

Una vez más, me sentí miserable. Pero Dios aún estaba moldeando mi historia.

Poco tiempo después, el jefe de la cárcel me puso a cargo de todos los demás prisioneros, y de todo lo que pasaba allí. El jefe confiaba en mí; Dios se aseguró de eso.

Un día, dos prisioneros me contaron sobre algunos sueños que estaban teniendo. Afortunadamente, Dios me ayudó a explicarlos y, en efecto, sus sueños se cumplieron tal como yo lo había predicho.

MÁS tarde, el mismo Faraón comenzó a tener sueños extraños. Nadie podía explicarlos excepto Dios, y Dios me indicó qué decirle a Faraón. Pude advertirle que a todos se les acabaría la comida, y que él necesitaba prepararse.

Faraón estaba impresionado. De hecho, se impresionó tanto que me hizo el segundo al mando en el país. Ayudé a todo el reino de Faraón a cosechar comida y a prepararse para los años en que la comida sería difícil de conseguir.

Fue un trabajo duro, pero Dios estaba conmigo.

ESTO me lleva de vuelta a mis hermanos. Cuando llegó la hambruna, personas de todas partes llegaron a Egipto a comprar comida. Mis hermanos también lo hicieron.

Cuando llegaron, no me reconocieron. Incluso se inclinaron ante mí. Pero yo los recordaba, y recordaba también los sueños que había tenido de pequeño.

Ver a mis hermanos me hizo llorar. En realidad, lloré como un niño. Pero no dejé que ellos me vieran.

Me di cuenta de que mis hermanos tenían miedo. Si hubiera querido, podría haberlos matado a todos. Pero yo amaba a mis hermanos. En cierto modo, en verdad no fue su culpa. Dios había permitido que todo sucediera, todos esos altibajos en mi vida, para que pudiera SALVAR sus vidas.

Mi historia tiene un final feliz. Mi padre y todos mis hermanos y sus familias se mudaron cerca de mí en Egipto. Tuvieron todo lo que necesitaron, y vivieron vidas largas y felices.

Dios estaba conmigo, y Dios estaba con mi familia.

Nunca tuve duda alguna de que Dios estaba conmigo. En cada paso del camino, a través de lo bueno y lo malo (también en lo muy bueno y lo muy malo), Dios estaba allí.

Es sorprendente pensar que Dios arregló todo para bien en mi vida para poder ayudar a mi familia. Si mis hermanos no me hubieran vendido como esclavo, no habría podido darles comida durante los años de hambre.

¿Qué tipo de cosas difíciles has tenido que pasar? ¿Tiempos difíciles en la escuela? ¿Momentos tristes con tus amigos? Busca un pedazo de papel de color y escribe en él «Dios está conmigo». Luego colócalo en un lugar donde lo veas todos los días.

× JOSÉ ×

Río Arriba
sin hacer
Ruido
ÉXODO 2:1–10
POR
MIRIAM

¡MI hermanito es tan lindo!

En serio, es encantador. Y también es especial. Mi madre lo afirmó. Ella me dijo que hay algo en él; que Dios tiene grandes planes para él algún día.

Pero corre peligro, ¡gran peligro! Aquí en Egipto hay un nuevo faraón, y a él le desagradan los hebreos. ¡Quiere matar a todos nuestros bebés varones!

Mi madre sabía que, si algún egipcio veía a mi hermano pequeño, lo mataría. Entonces, con lágrimas en los ojos, lo colocó en una canasta y lo puso en el río Nilo. Esperaba que de alguna manera Dios lo mantuviera a salvo.

No podía soportar verlo alejarse. Así que me escondí entre los juncos en la orilla del río y seguí de cerca esa canasta. Sabía que Dios también estaba mirando.

Poco después, la princesa egipcia, la hija del faraón, bajó al río para bañarse. Vio la canasta de inmediato y les dijo a sus sirvientas que se la alcanzaran.

Aguanté la respiración y observé.

El bebé lloraba cuando la princesa lo sacó de la canasta. Pero en lugar de lanzarlo al río, ella lo abrazó y lo mantuvo en sus brazos. Pude ver en sus ojos que sentía lástima de él.

Vi mi oportunidad. Corrí hacia la princesa y le dije:

—¿Le gustaría que buscara a una mujer hebrea que le cuidara al bebé?

—¡Sí, por favor! —contestó la princesa.

Así que corrí a casa lo más rápido que pude y se lo dije a mi madre. La princesa le pidió que alimentara y cuidara a mi hermano hasta que fuera un poco mayor. ¡Incluso nos pagó por eso!

Mi hermanito es especial, por supuesto que sí. Dios no solo le salvó la vida, sino que también creció en el palacio del faraón. Dios tenía un plan increíble para mi hermano. Incluso la princesa le dio un nombre especial.

Lo llamó Moisés.

Dios cuida a las personas que ama. Lo sé con toda seguridad. Lo vi con mis propios ojos. Justo cuando parecía seguro que a mi hermanito lo matarían, Dios lo salvó.

Moisés era mi hermanito pequeño, pero también era un hijo de Dios. ¿Y sabes qué? ¡TÚ también eres un hijo de Dios! Dios te ama y tiene planes especiales para tu vida, tal como lo hizo con Moisés y conmigo.

¿Qué crees que Dios tiene en Sus planes para tu vida? ¿Qué cosa especial puedes hacer? ¡Haz esa cosa especial hoy mismo!

MIRIAM

EL GRAN ESCAPE

ÉXODO 12:1–42;
14:5–31

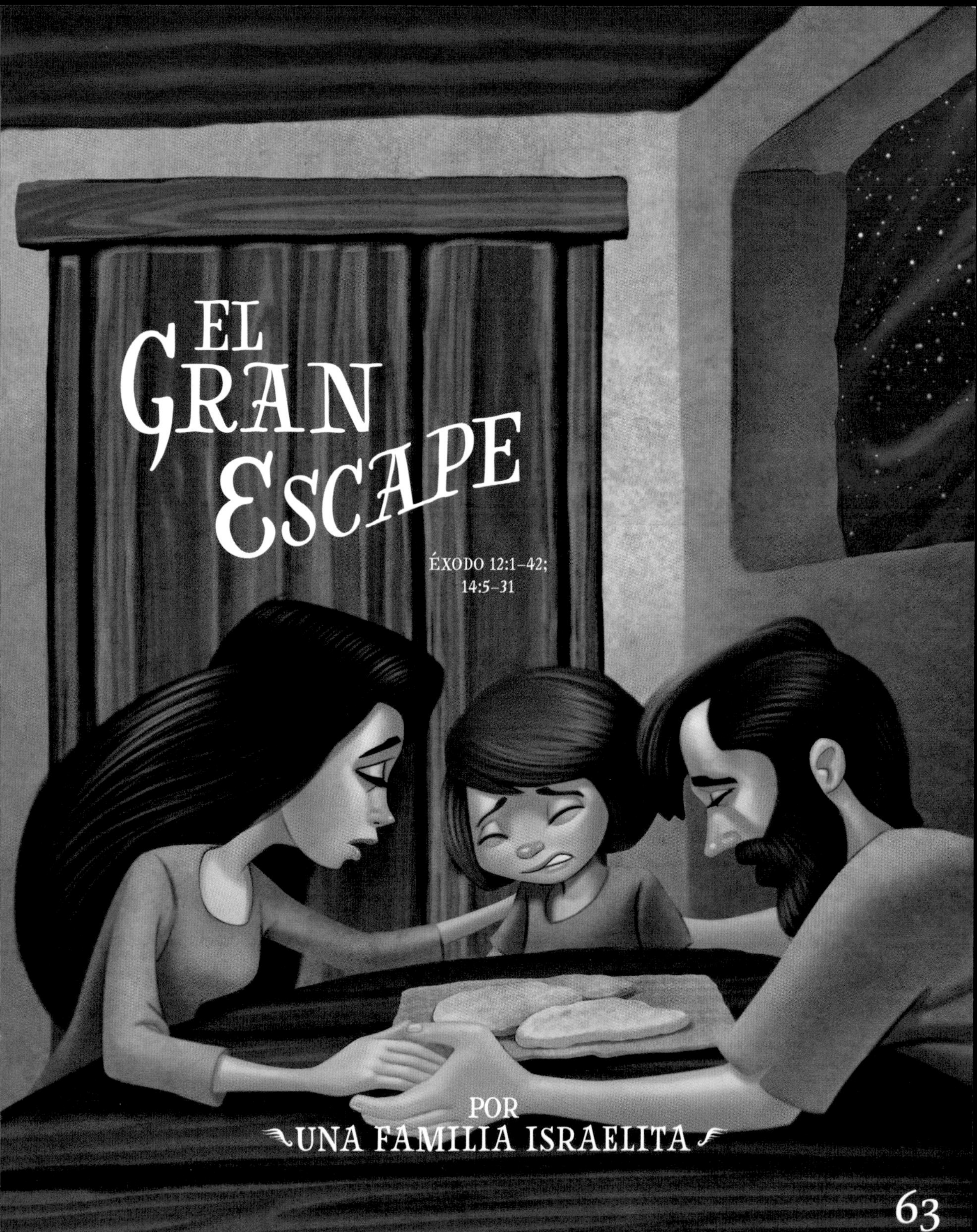

POR
UNA FAMILIA ISRAELITA

ERAN tiempos oscuros.

Dios acababa de enviar nueve plagas terribles sobre Egipto: mosquitos, moscas, ranas, granizo, de todo. Pero Faraón aún no dejaba ir al pueblo de Dios, los israelitas. Y ahora la décima y última plaga estaba sobre nosotros: se acercaba la muerte.

Pero incluso en esta, la noche más oscura, nosotros teníamos esperanza. Dios prometió rescatarnos, aunque los primogénitos de Egipto morirían.

Dios indicó que «pasaría sobre» las casas de Su pueblo que pusieran la sangre de un cordero sobre su puerta principal. Mientras nos acurrucábamos en nuestras familias durante la cena de la Pascua, yo sentí miedo. Después de todo, yo era el primer hijo de mi familia.

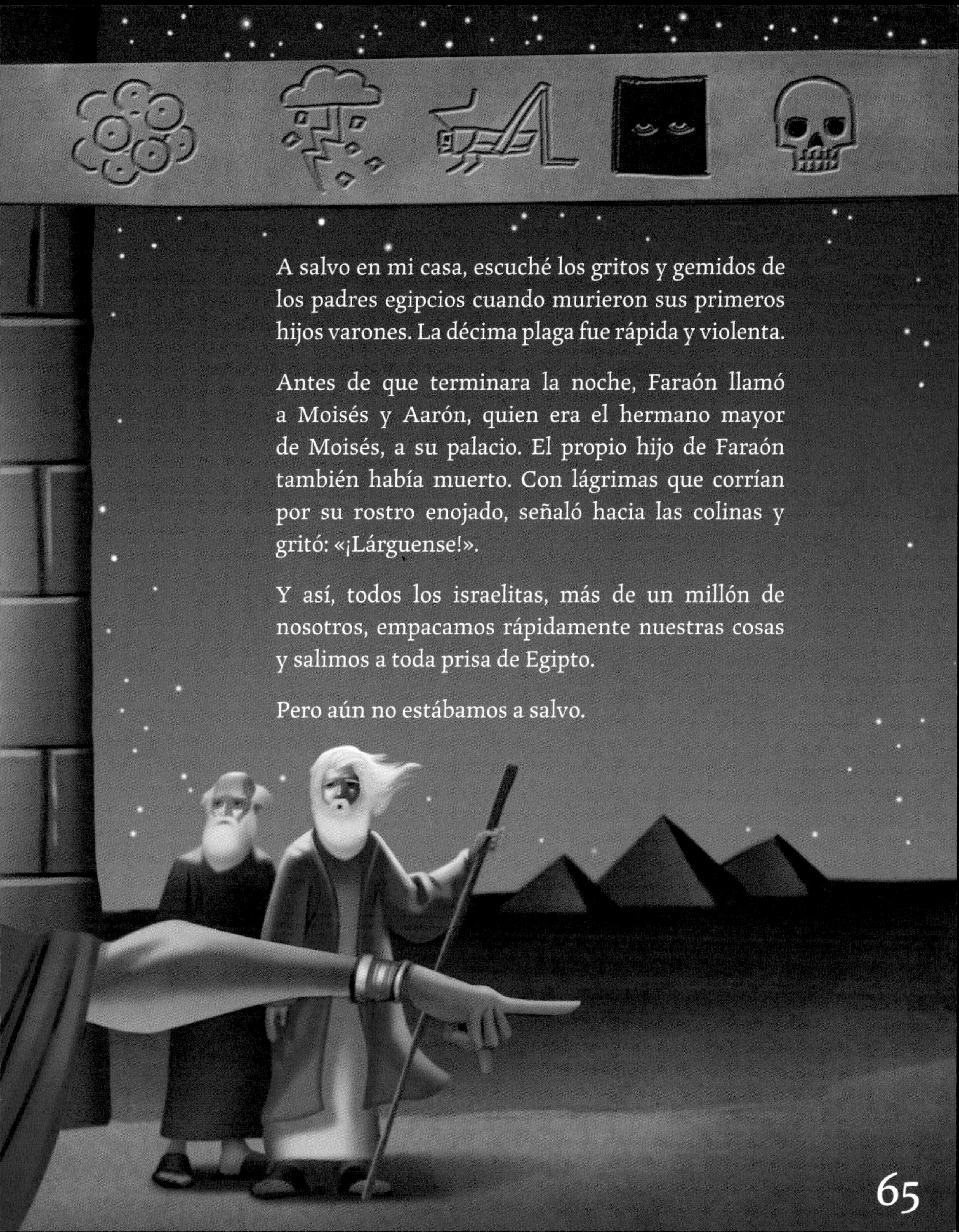

A salvo en mi casa, escuché los gritos y gemidos de los padres egipcios cuando murieron sus primeros hijos varones. La décima plaga fue rápida y violenta.

Antes de que terminara la noche, Faraón llamó a Moisés y Aarón, quien era el hermano mayor de Moisés, a su palacio. El propio hijo de Faraón también había muerto. Con lágrimas que corrían por su rostro enojado, señaló hacia las colinas y gritó: «¡Lárguense!».

Y así, todos los israelitas, más de un millón de nosotros, empacamos rápidamente nuestras cosas y salimos a toda prisa de Egipto.

Pero aún no estábamos a salvo.

TAN pronto como salimos, Faraón cambió de opinión. Preparó todos los carros de guerra en Egipto, todos sus caballos y todo su ejército, y nos persiguió.

Cuando los vimos venir, no había forma de escapar. Teníamos el mar a nuestras espaldas; y no había lugar a donde correr. Por supuesto, entramos en pánico.

—¡Oh, no! —gritamos—. ¡Estamos perdidos! ¡Hemos escapado de Egipto para morir en el desierto!

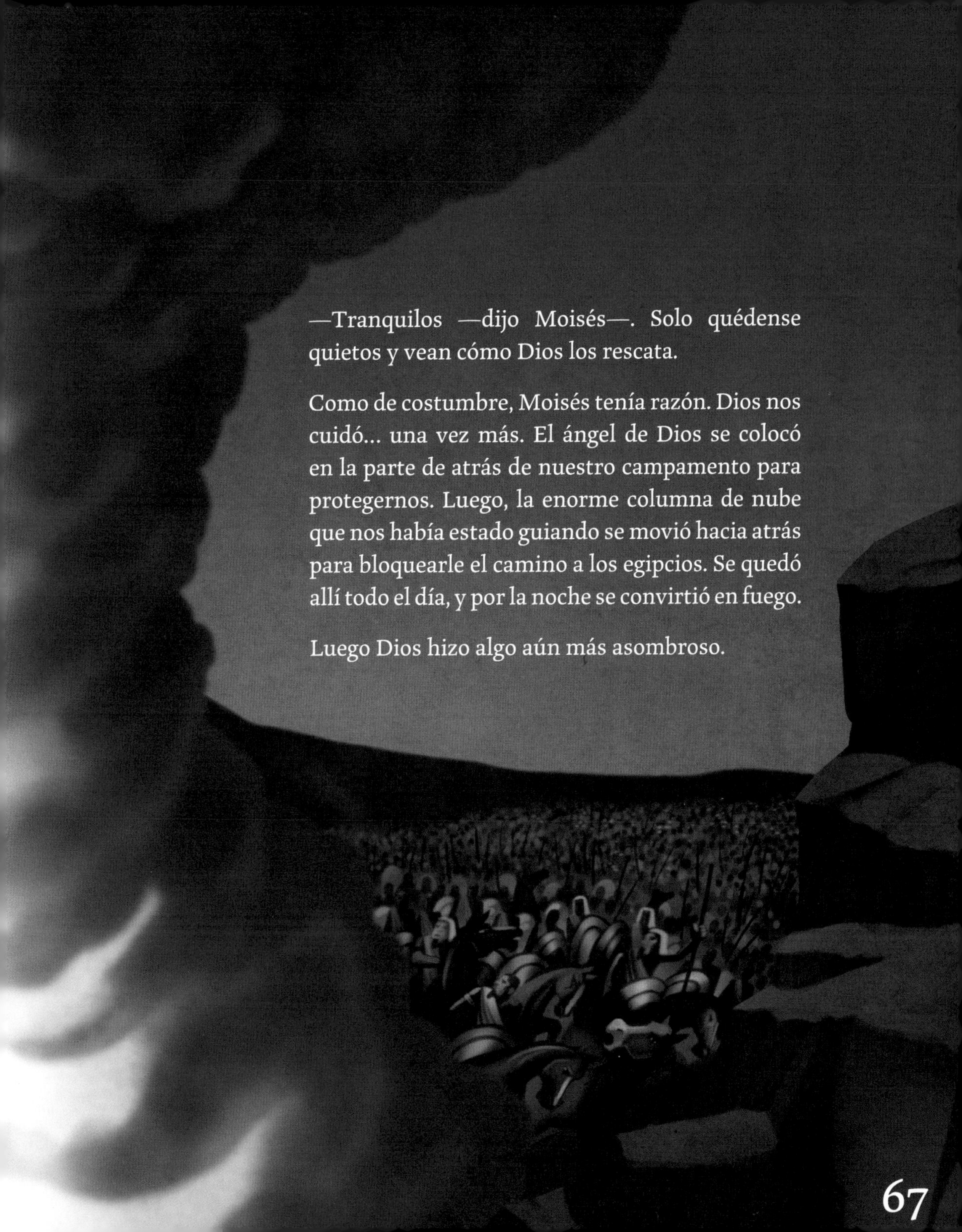

—Tranquilos —dijo Moisés—. Solo quédense quietos y vean cómo Dios los rescata.

Como de costumbre, Moisés tenía razón. Dios nos cuidó... una vez más. El ángel de Dios se colocó en la parte de atrás de nuestro campamento para protegernos. Luego, la enorme columna de nube que nos había estado guiando se movió hacia atrás para bloquearle el camino a los egipcios. Se quedó allí todo el día, y por la noche se convirtió en fuego.

Luego Dios hizo algo aún más asombroso.

DIOS le ordenó a Moisés que extendiera la mano sobre el mar. A nuestro alrededor los vientos se arremolinaron, y el agua se dividió por la mitad. Un enorme muro de agua se alzó a cada lado.

¡Dios hizo un camino seco para que pudiéramos cruzar el mar! ¡Recogimos nuestras cosas y comenzamos a caminar por el fondo del mar, con muros de agua a cada lado! Ni una gota de agua nos salpicó la cara, ni nos tocó los pies.

Mientras tanto, el faraón observaba asombrado. Su enojo se convirtió en ira, y con un grito, ordenó a su ejército que nos siguiera. Cuando volvimos la vista sobre nuestros hombros, pudimos ver a los soldados que venían a toda prisa en sus carros hacia el fondo del mar detrás de nosotros.

Nos estaban alcanzando, y rápido.

PERO seguimos en movimiento. Dios estaba haciendo algo milagroso, y todo lo que podíamos hacer era seguir adelante.

Cuando todos llegamos al otro lado del mar, Dios le dijo a Moisés que volviera a extender la mano. Las paredes de agua se precipitaron sobre el camino seco, llenándolo todo de agua nuevamente.

Una ola tras otra se estrelló contra los soldados y carros del faraón. Rápidamente nos dimos cuenta de que todo el ejército había quedado cubierto de agua; ninguno de ellos sobrevivió. Desaparecieron.

Nos quedamos maravillados del inmenso poder de Dios. Nos reímos, lloramos y nos abrazamos. Finalmente habían terminado más de cuatrocientos años de esclavitud en Egipto.

Dios realmente nos había rescatado.

¡Y al fin éramos libres!

Somos una familia. Nos amamos y cada día nos acercamos más.

Hemos pasado algunos momentos temibles juntos, desde vivir aquella noche horrenda en Egipto hasta escapar entre los enormes muros de agua. Pero nos mantuvimos unidos y confiamos en Dios.

Tú también eres parte de una familia. Y a veces ustedes atraviesan por momentos temibles o que los ponen nerviosos. Pero Dios quiere que tú y tu familia se mantengan unidos. ¡Mientras confíen en Dios, ustedes pueden lograrlo!

¿Qué sientes cuando tienes miedo? Imagínate en una situación aterradora. Ahora piensa que estás completamente seguro. ¿Qué tan diferente te sientes al no tener miedo?

UNA FAMILIA ISRAELITA

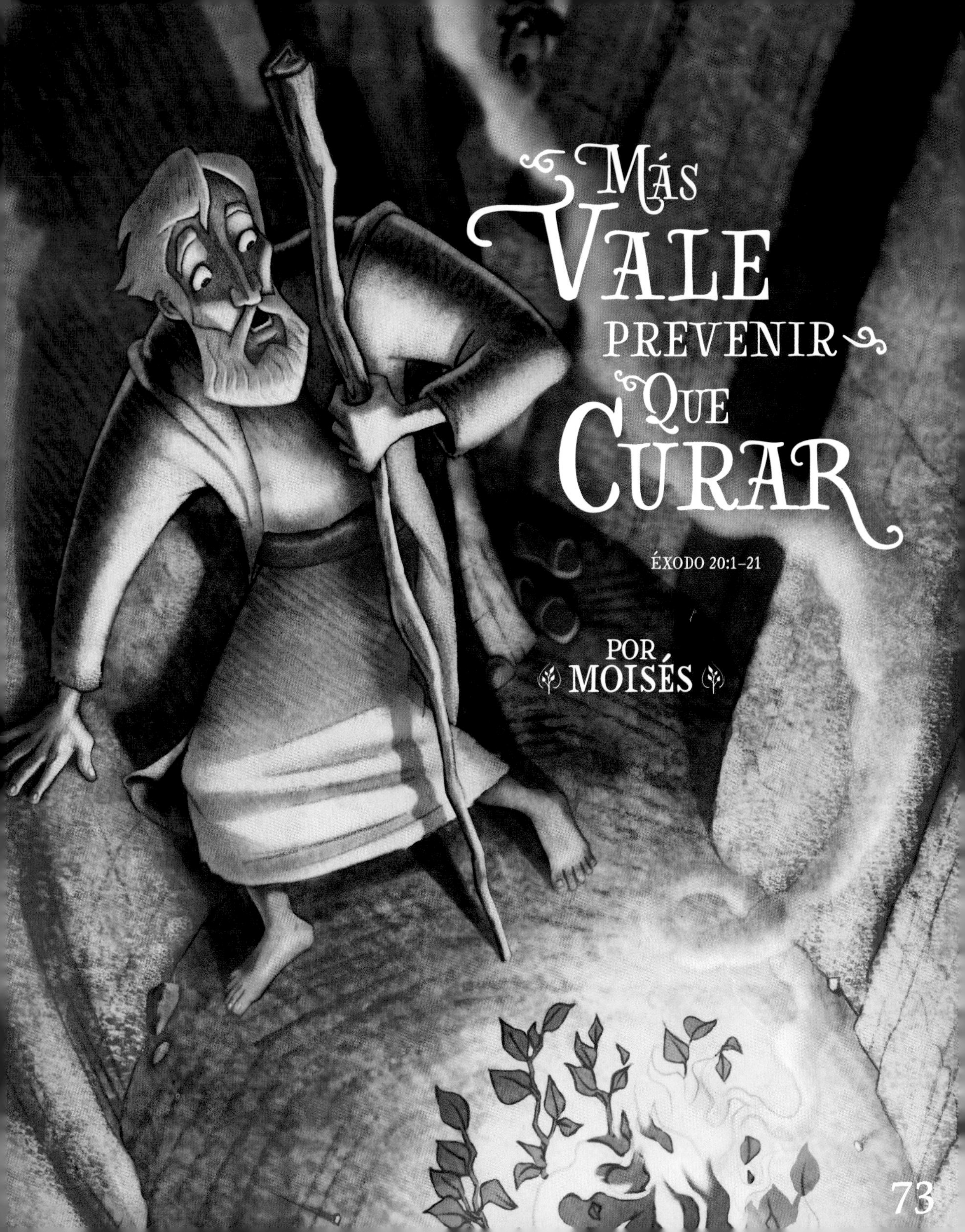

Más Vale prevenir que Curar

ÉXODO 20:1–21

POR
MOISÉS

SIN duda, he vivido algunas aventuras increíbles. Desde que nací, he enfrentado cosas en mi vida que nadie más en toda la historia ha experimentado.

En cada paso del camino, en cada aliento y todos los días, Dios ha estado allí conmigo.

Dios estaba conmigo cuando la hija de Faraón me sacó del río para salvarme la vida.

Dios me habló mediante una zarza ardiente. Él estaba allí cuando extendí el brazo y abrí el Mar Rojo. Dios le dio a nuestro ejército una victoria tras otra en la batalla, e incluso proveyó comida del cielo cuando mi pueblo tenía hambre.

Dios siempre me cuidó.

ÉL tenía otra forma especial de cuidar a Su pueblo. Después de rescatarnos de los egipcios, me envió a la cima del monte Sinaí. Allí me dio diez instrucciones para ayudarnos a vivir una vida buena que le agrada, y evita que lo lastimemos a Él y a los demás. Estas instrucciones se llaman los Diez Mandamientos, y dicen esto:

1. Soy tu Dios, y tu único Dios.
2. No hagas dioses falsos y no los adores.
3. No uses mal el nombre de Dios.
4. Descansa en el día de reposo y santifica ese día.
5. Honra a tus padres.
6. No mates.
7. Sé fiel a tu esposo o esposa.
8. No robes.
9. No mientas.
10. No quieras lo que otros tienen.

Si el pueblo de Dios puede seguir estas instrucciones sencillas, vivirán vidas más felices que agradan a Dios.

לא תרצח
לא תנאף
לא תגנב
לא תענה
לא תחמד
אנכי ה'
לא יהיה
לא תשא
זכור את
כבד את

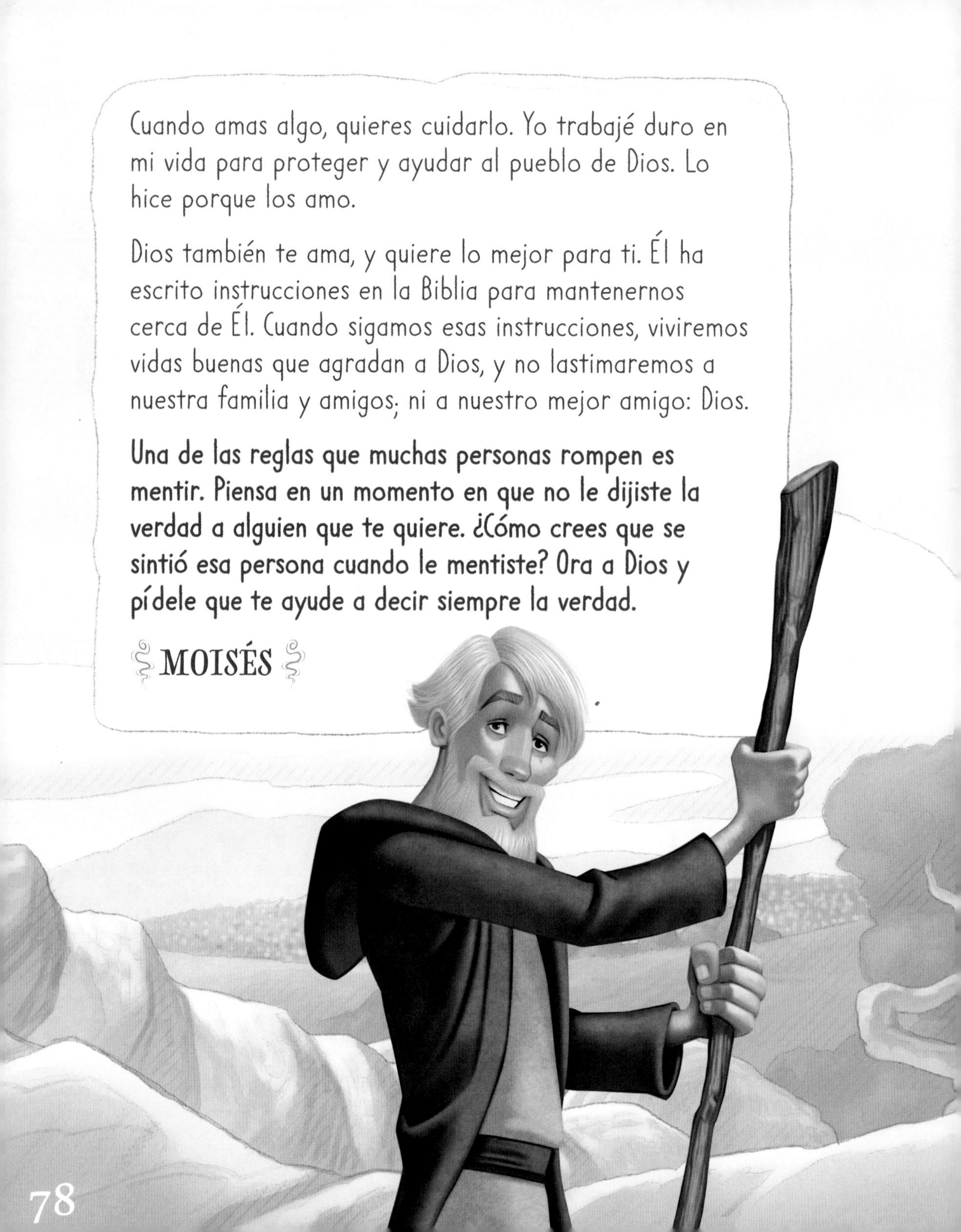

Cuando amas algo, quieres cuidarlo. Yo trabajé duro en mi vida para proteger y ayudar al pueblo de Dios. Lo hice porque los amo.

Dios también te ama, y quiere lo mejor para ti. Él ha escrito instrucciones en la Biblia para mantenernos cerca de Él. Cuando sigamos esas instrucciones, viviremos vidas buenas que agradan a Dios, y no lastimaremos a nuestra familia y amigos; ni a nuestro mejor amigo: Dios.

Una de las reglas que muchas personas rompen es mentir. Piensa en un momento en que no le dijiste la verdad a alguien que te quiere. ¿Cómo crees que se sintió esa persona cuando le mentiste? Ora a Dios y pídele que te ayude a decir siempre la verdad.

MOISÉS

SEGUIR A LA MULTITUD

ÉXODO 32:1–29

POR AARÓN

MIRA, no fue mi culpa. En verdad no.

O sea, la gente estaba perdiendo la paciencia. Moisés llevaba mucho tiempo en esa montaña; quién sabe cuánto tiempo. Según pensaban, él había muerto. Y querían adorar dioses nuevos.

¿Qué otra cosa podía hacer?

Solo hice lo que ellos querían que hiciera. Los mandé que pusieran todo su oro en una gran pila, y lo derretimos. Luego lo convertimos en un gigante ternero de oro. Y déjame decirte algo, ¡les encantó!

A la mañana siguiente, comenzaron a inclinarse ante él y a darle ofrendas. Cantaban, bailaban, comían y bebían. ¿Qué tiene de malo hacer una pequeña fiesta, verdad? Honestamente, ¡nunca los había visto tan felices!

Pero entonces Dios le dijo a Moisés que bajara de la montaña. Y cuando regresó a nosotros, Moisés no estaba feliz. Ni un poquito.

NUNCA había visto a Moisés tan enojado.

Lo primero que hizo Moisés fue hacer pedazos las tablas de los Diez Mandamientos contra el suelo. Luego derritió el ternero de oro, lo convirtió en polvo, lo tiró al agua e hizo que todos lo bebieran.

(No sabía *nada* bien).

Entonces Moisés arremetió contra mí.

—¿Cómo pudiste dejar que esto sucediera?

Hice lo primero que me vino a la cabeza: culpar a todos los demás.

—¡No es mi culpa! Estas personas son malas. ¡Me obligaron a hacerlo! —exclamé, señalando con el dedo a todas las personas detrás de mí.

No hace falta decir que estábamos en problemas; de los grandes. Dios no estaba contento. Y ahora me sentía terrible porque realmente decepcioné a Dios; y a Moisés.

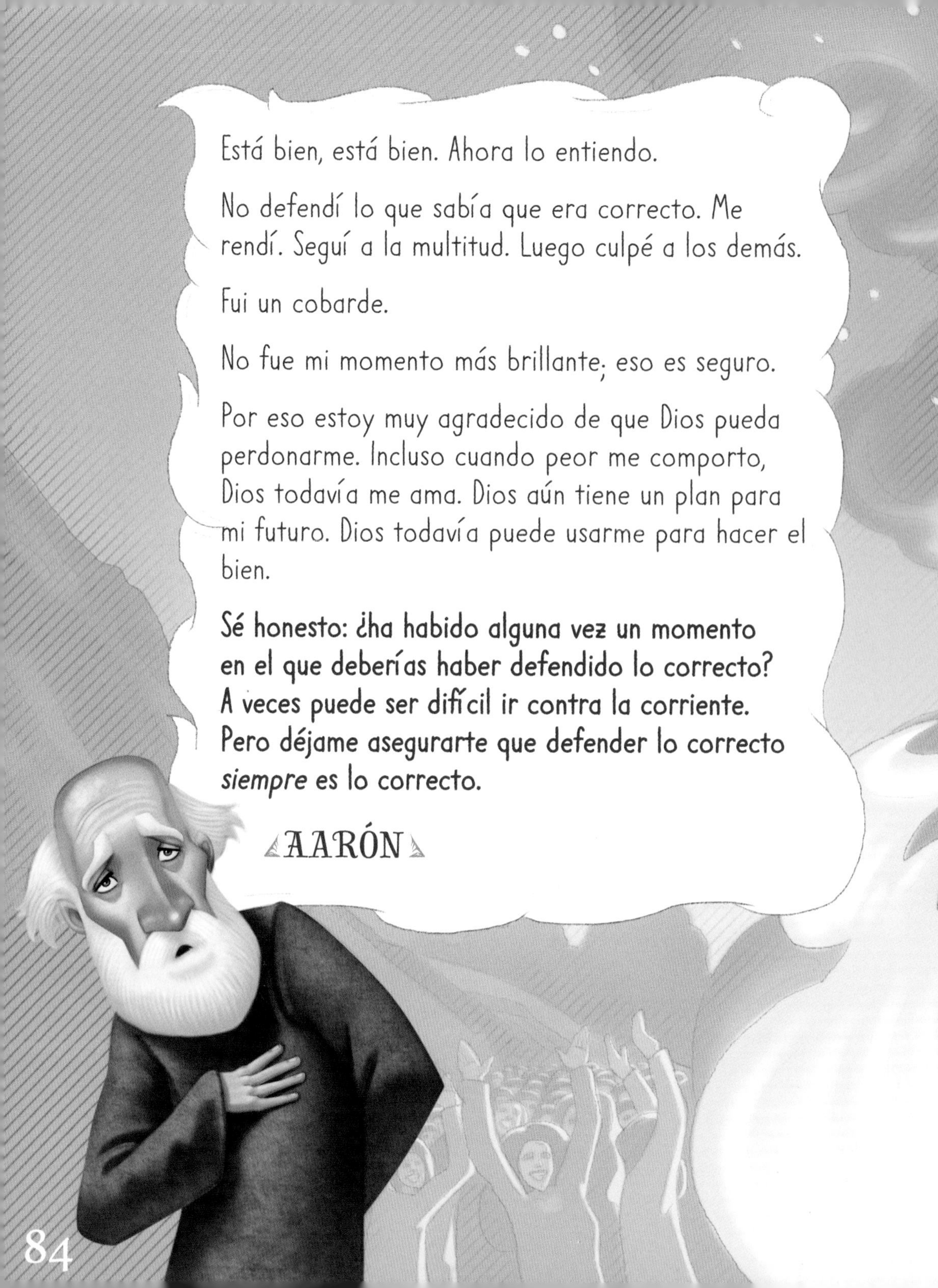

Está bien, está bien. Ahora lo entiendo.

No defendí lo que sabía que era correcto. Me rendí. Seguí a la multitud. Luego culpé a los demás.

Fui un cobarde.

No fue mi momento más brillante; eso es seguro.

Por eso estoy muy agradecido de que Dios pueda perdonarme. Incluso cuando peor me comporto, Dios todavía me ama. Dios aún tiene un plan para mi futuro. Dios todavía puede usarme para hacer el bien.

Sé honesto: ¿ha habido alguna vez un momento en el que deberías haber defendido lo correcto? A veces puede ser difícil ir contra la corriente. Pero déjame asegurarte que defender lo correcto *siempre* es lo correcto.

AARÓN

¡YO NO TENGO MIEDO!
NÚMEROS 13
POR CALEB

HACE mucho tiempo, Dios prometió darnos, a Su pueblo, un lugar muy especial como hogar. Lo llamamos la tierra prometida. ¡Y ya casi estamos llegando!

El problema es que no podemos entrar y desempacar. Algunos de nuestros enemigos ya viven allí. Entonces, nuestro líder, Moisés, nos dijo a doce de nosotros que entráramos escondidos al país para espiarlo.

Cuando subimos las colinas y nos escabullimos en la tierra, nos sorprendió lo que vimos. El suelo era rico. Los ríos centelleaban. Por todas partes crecían los árboles frutales, con más higos y granadas de las que jamás haya visto. ¡Los racimos de uvas eran tan grandes que tuvimos que cargarlos entre dos de nosotros!

Era una tierra que fluía leche y miel. ¡Yo estaba *ansioso* de preparar las maletas y mudarme! Sin embargo, los otros espías no estaban tan seguros.

CUANDO regresamos a Moisés para informar lo que habíamos visto, le mostramos la abundancia de frutos que habíamos encontrado. Josué y yo estábamos emocionados, pero los otros diez espías tenían miedo e ideas diferentes.

—Claro, hay más comida de la que podríamos haber imaginado —dijeron—, pero las personas que viven allí son GIGANTES. Los muros son enormes. ¡Y son muy fuertes! ¡Esos gigantes nos aplastarían como pequeños saltamontes!

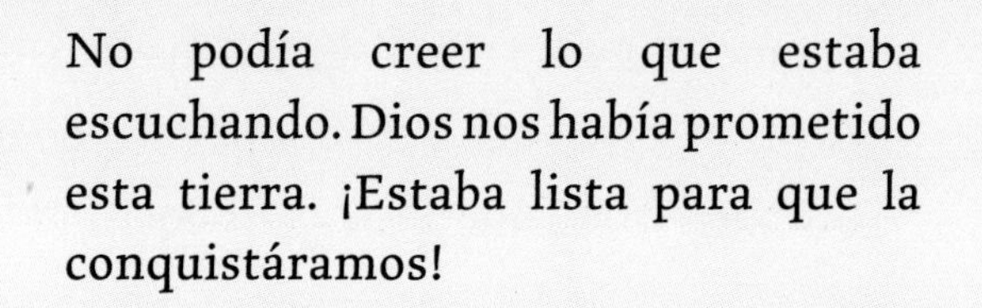

No podía creer lo que estaba escuchando. Dios nos había prometido esta tierra. ¡Estaba lista para que la conquistáramos!

—Digo que vayamos ahora mismo. ¡De seguro la conquistaremos! —expresé—. Lo único que tenemos que hacer es confiar en Dios y tener un poco de valor.

La gente dice que soy valiente. Creo que tienen razón. No tuve miedo de entrar en la tierra prometida y convertirla en nuestro hogar. Pero no creo que sea difícil ser valiente cuando sabes que Dios está de tu lado.

Después de todo, cuando Dios te promete algo, ¿a qué le temerías? Dios es mucho más grande que nuestros temores.

¿Y adivina qué? ¡Más tarde la hicimos nuestro hogar! Gracias a Dios, y solo a Dios.

¿A qué le tienes miedo en tu vida? ¿Sabías que Dios está de tu lado? Piensa en un área donde necesitas un poco de valor. Luego ora y pídele a Dios que te dé todo el valor que necesitas.

CALEB

¡Así se habla!

NÚMEROS 22:21–41

POR BALAAM

AMO a mi burra. Hace años que estamos juntos. Claro, a veces ella es terca; todas las burras son así. Pero hoy fue especialmente testaruda.

Yo iba en camino para visitar al rey de Moab. Pero Dios quería evitar que yo fuera, así que envió a un ángel con una espada desenvainada para bloquearme el camino.

No vi al ángel. Pero mi burra sí, y se apartó corriendo del camino hacia la maleza. La golpeé con mi bastón y la llevé de nuevo al camino.

El ángel apareció nuevamente, pero tampoco lo vi. Esta vez mi burra intentó pasar por el lado del ángel y aplastó mi pie contra la pared. Entonces la golpeé otra vez.

Luego el ángel apareció una vez más, y mi burra se lanzó al suelo... ¡conmigo todavía sobre sus espaldas! ¡Estaba tan enojado! Esta vez le di una buena zurra.

ENTONCES recibí la mayor sorpresa de mi vida: ¡Mi burra comenzó a hablarme!

—¿Por qué sigues golpeándome? —preguntó.

—¡Me estás haciendo parecer un tonto! —grité—. ¡Nunca antes has hecho algo así!

—¡Exacto! —contestó mi burra.

En ese momento, Dios abrió mis ojos y vi al ángel parado en nuestro camino, con una espada en la mano. Caí al suelo y me disculpé.

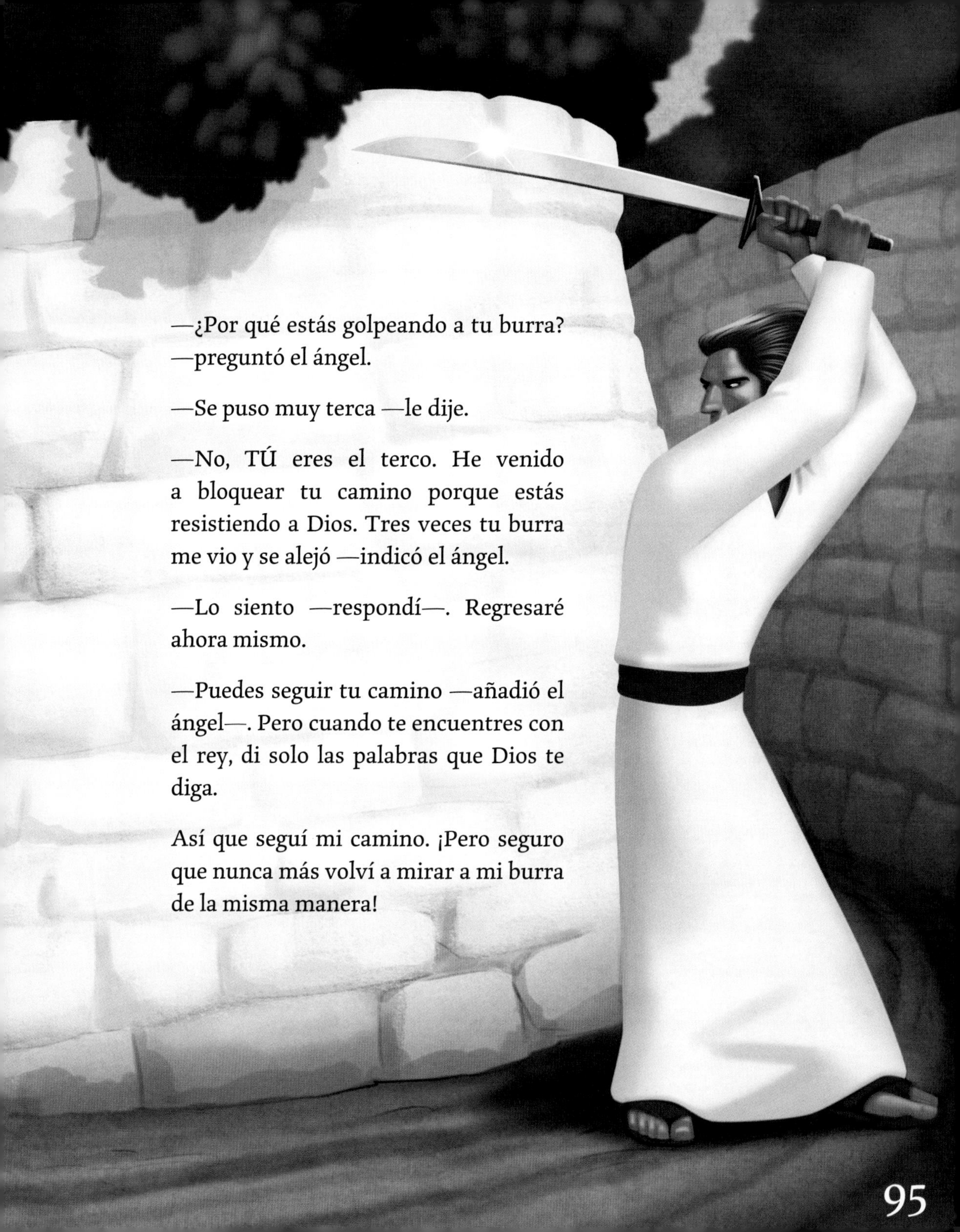

—¿Por qué estás golpeando a tu burra? —preguntó el ángel.

—Se puso muy terca —le dije.

—No, TÚ eres el terco. He venido a bloquear tu camino porque estás resistiendo a Dios. Tres veces tu burra me vio y se alejó —indicó el ángel.

—Lo siento —respondí—. Regresaré ahora mismo.

—Puedes seguir tu camino —añadió el ángel—. Pero cuando te encuentres con el rey, di solo las palabras que Dios te diga.

Así que seguí mi camino. ¡Pero seguro que nunca más volví a mirar a mi burra de la misma manera!

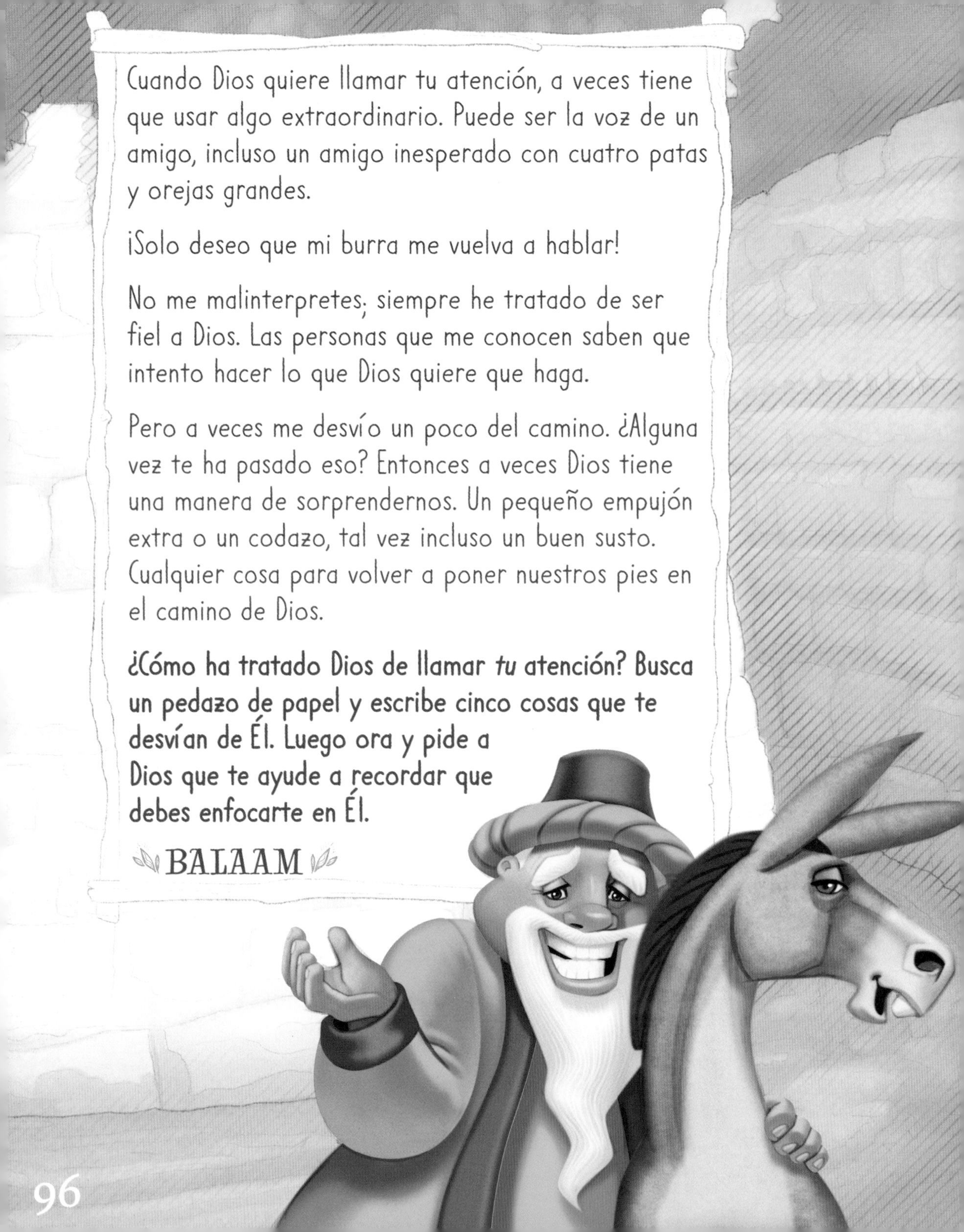

Cuando Dios quiere llamar tu atención, a veces tiene que usar algo extraordinario. Puede ser la voz de un amigo, incluso un amigo inesperado con cuatro patas y orejas grandes.

¡Solo deseo que mi burra me vuelva a hablar!

No me malinterpretes; siempre he tratado de ser fiel a Dios. Las personas que me conocen saben que intento hacer lo que Dios quiere que haga.

Pero a veces me desvío un poco del camino. ¿Alguna vez te ha pasado eso? Entonces a veces Dios tiene una manera de sorprendernos. Un pequeño empujón extra o un codazo, tal vez incluso un buen susto. Cualquier cosa para volver a poner nuestros pies en el camino de Dios.

¿Cómo ha tratado Dios de llamar *tu* atención? Busca un pedazo de papel y escribe cinco cosas que te desvían de Él. Luego ora y pide a Dios que te ayude a recordar que debes enfocarte en Él.

BALAAM

Poco probable, Pero Muy Amada

Josué 2

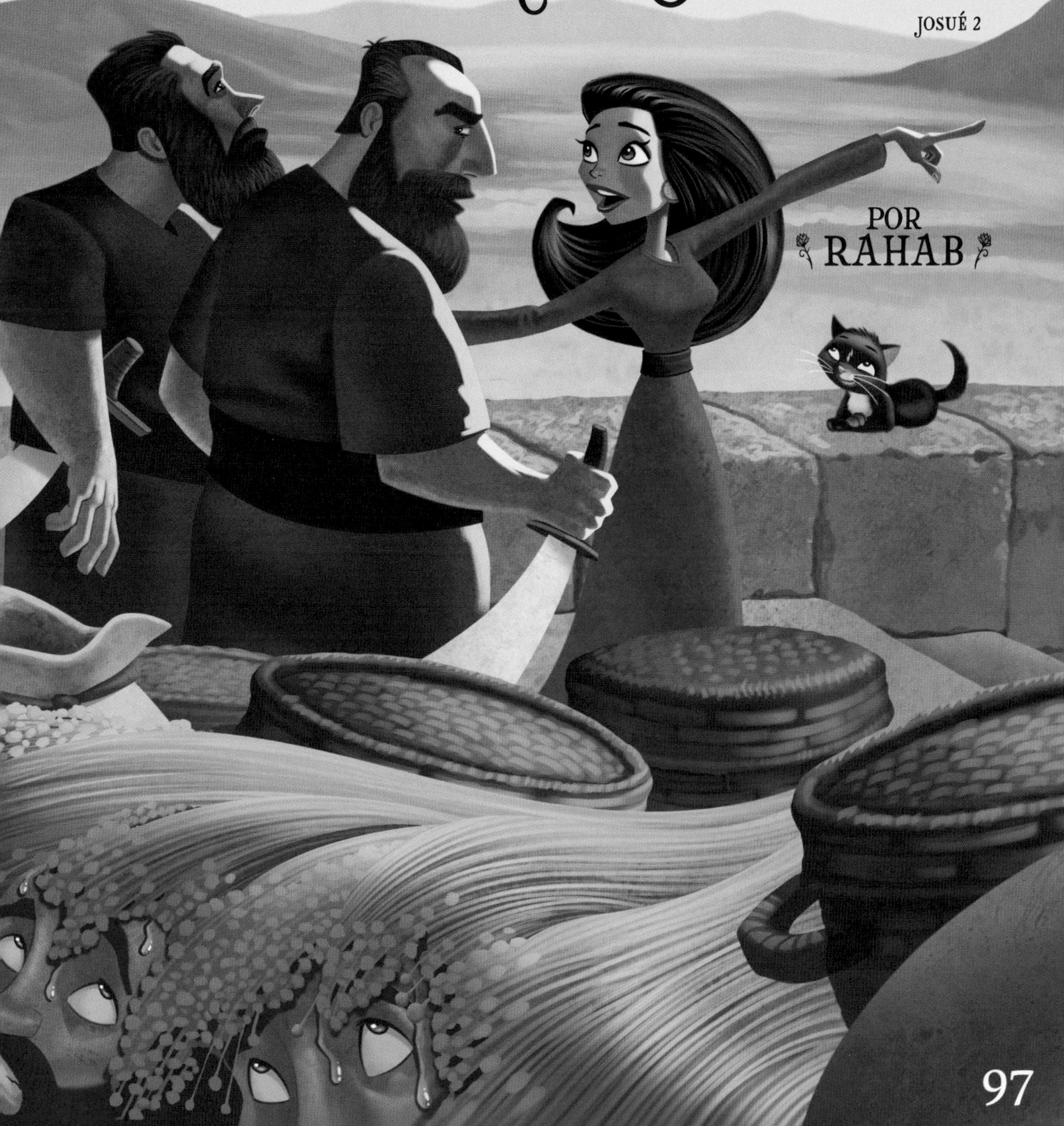

Por Rahab

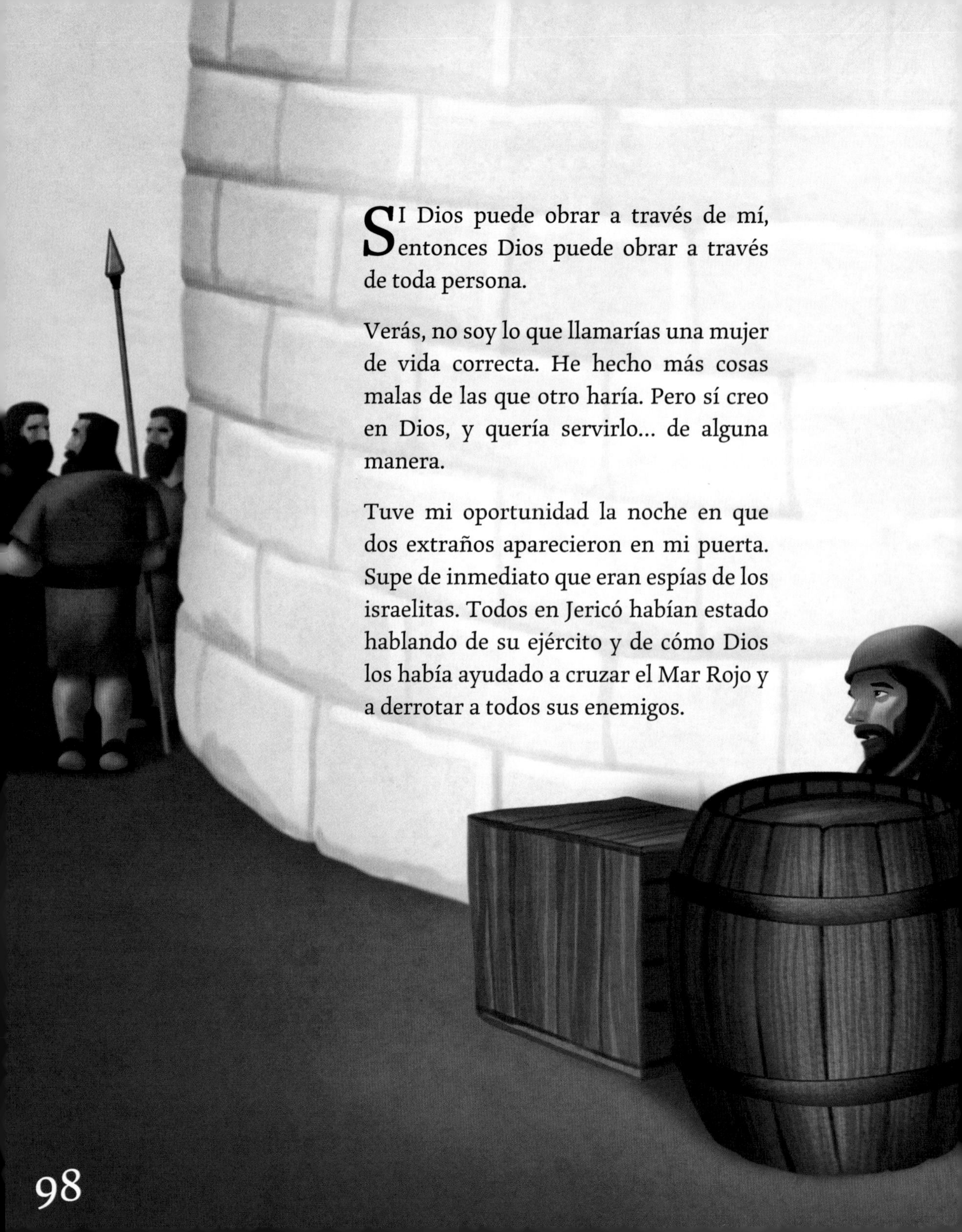

SI Dios puede obrar a través de mí, entonces Dios puede obrar a través de toda persona.

Verás, no soy lo que llamarías una mujer de vida correcta. He hecho más cosas malas de las que otro haría. Pero sí creo en Dios, y quería servirlo... de alguna manera.

Tuve mi oportunidad la noche en que dos extraños aparecieron en mi puerta. Supe de inmediato que eran espías de los israelitas. Todos en Jericó habían estado hablando de su ejército y de cómo Dios los había ayudado a cruzar el Mar Rojo y a derrotar a todos sus enemigos.

¡Les teníamos terror!

Pero yo sabía que Dios los amaba, así que decidí ayudarlos. Los dejé esconderse en mi azotea, y luego llegaron los guardias de Jericó a buscarlos. Incluso mentí para salvarles la vida..

SABÍA que su gente regresaría pronto a destruir Jericó, y tenía una petición que hacerles.

—Ya que los ayudé, ¿salvarán la vida de mi familia? —pregunté.

—Sí —me contestaron los espías—. Solo cuelga esta soga roja por la ventana. Cuando nuestro ejército conquiste Jericó, tu familia estará a salvo, siempre y cuando estén dentro de tu casa.

Estuve de acuerdo. Los ayudé a bajar por la ventana y me aseguré de que se escaparan sin un rasguño. Y dejé esa soga roja fuera de mi ventana hasta que regresó el ejército israelita.

¡Ahora viviré el resto de mi vida adorando al único Dios verdadero, el Dios que me ama!

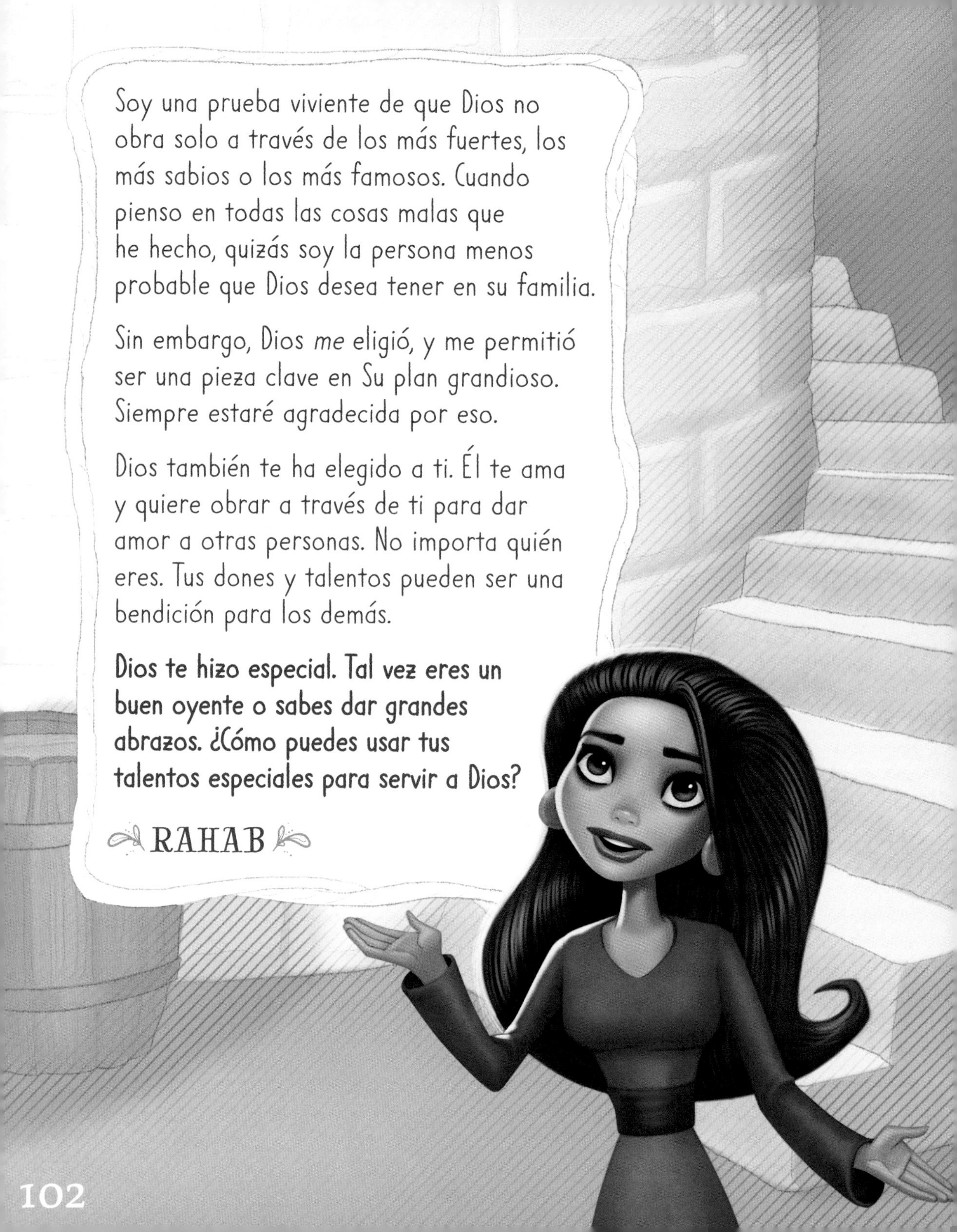

Soy una prueba viviente de que Dios no obra solo a través de los más fuertes, los más sabios o los más famosos. Cuando pienso en todas las cosas malas que he hecho, quizás soy la persona menos probable que Dios desea tener en su familia.

Sin embargo, Dios *me* eligió, y me permitió ser una pieza clave en Su plan grandioso. Siempre estaré agradecida por eso.

Dios también te ha elegido a ti. Él te ama y quiere obrar a través de ti para dar amor a otras personas. No importa quién eres. Tus dones y talentos pueden ser una bendición para los demás.

Dios te hizo especial. Tal vez eres un buen oyente o sabes dar grandes abrazos. ¿Cómo puedes usar tus talentos especiales para servir a Dios?

RAHAB

Tenemos Sangre Valiente

JOSUÉ 6

POR JOSUÉ

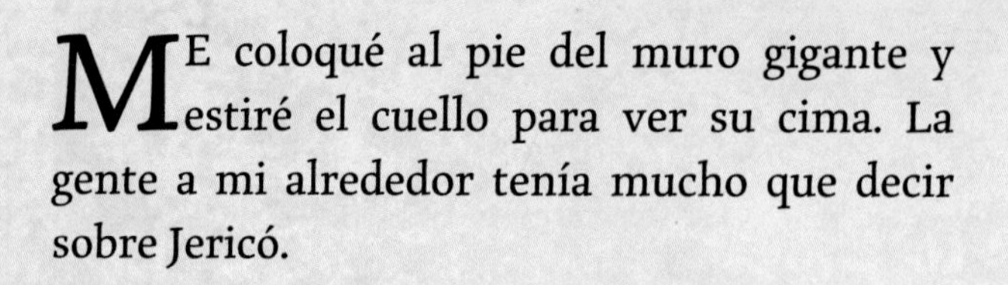

Me coloqué al pie del muro gigante y estiré el cuello para ver su cima. La gente a mi alrededor tenía mucho que decir sobre Jericó.

«Esos muros son demasiado grandes para tumbarlos».

«Esas puertas están muy bien cerradas. No hay forma de entrar».

«Esos guerreros de Jericó son malos y fuertes».

A decir de todos, no teníamos oportunidad. Derrotar a Jericó parecía imposible.

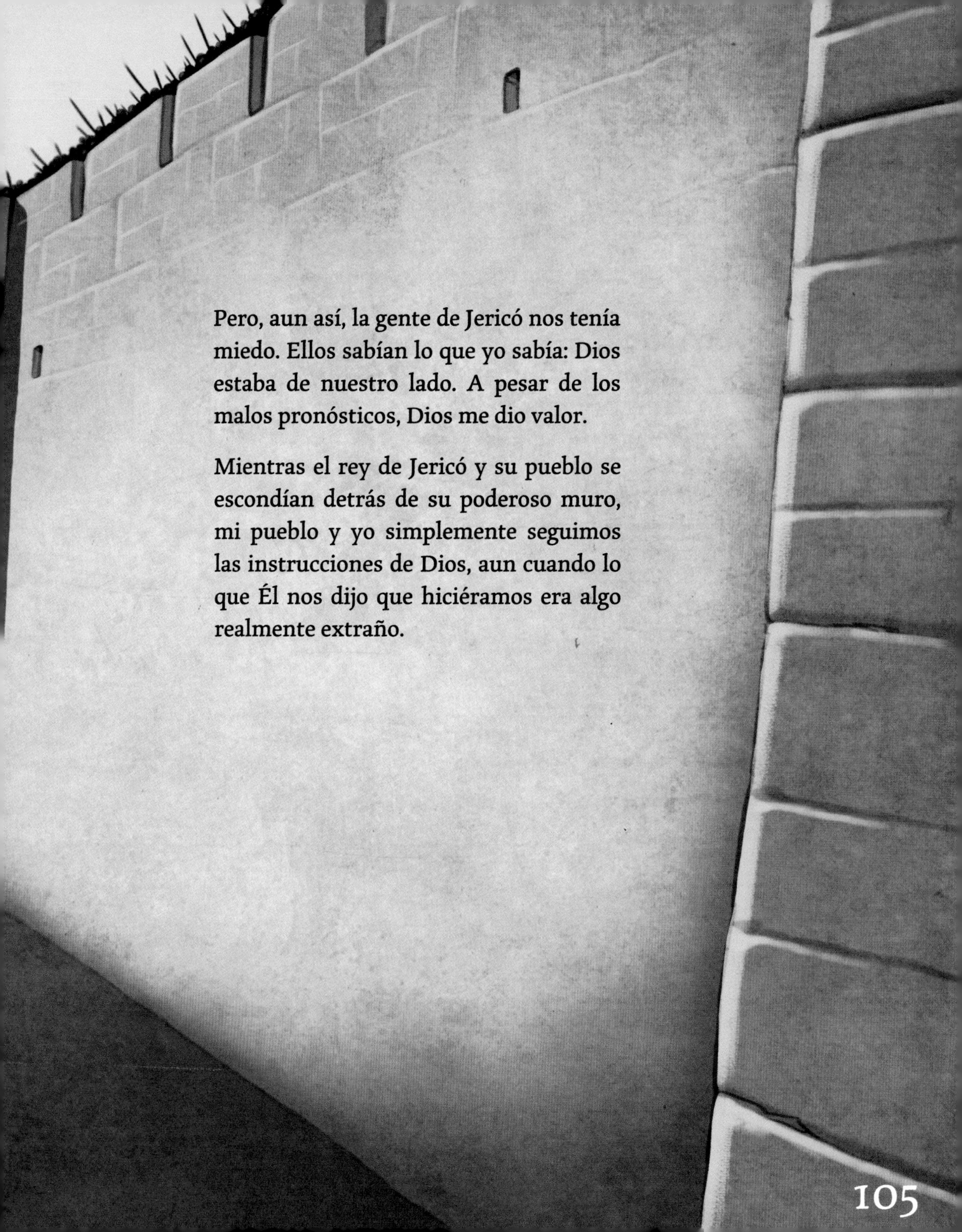

Pero, aun así, la gente de Jericó nos tenía miedo. Ellos sabían lo que yo sabía: Dios estaba de nuestro lado. A pesar de los malos pronósticos, Dios me dio valor.

Mientras el rey de Jericó y su pueblo se escondían detrás de su poderoso muro, mi pueblo y yo simplemente seguimos las instrucciones de Dios, aun cuando lo que Él nos dijo que hiciéramos era algo realmente extraño.

MARCHAMOS en silencio alrededor de la ciudad una vez al día durante seis días. En el séptimo día, todos marchamos alrededor de la ciudad siete veces. Cuando nos detuvimos, nuestros sacerdotes tocaron los cuernos, tan fuerte como pudieron. Y luego todos gritaron a pleno pulmón.

Los grandes muros de Jericó se sacudieron, se agrietaron y con un gran estruendo cayeron al suelo. Nuestro enemigo estaba derrotado.

No ganamos la batalla con hombres más fuertes ni espadas más afiladas. Ganamos con valor; Dios nos dio ese valor.

Según lo prometido, Dios salvó a Rahab y a su familia. ¡Y ella vive con nosotros hasta el día de hoy! Pero en cuanto al resto de Jericó, no quedó más que un montón de escombros.

Tener valor no es cosa fácil. A veces ni siquiera tiene sentido. Pero es IMPRESCINDIBLE cada vez que uno enfrenta una situación que parece imposible.

No había forma lógica de vencer a Jericó. No peleamos con mazas ni con arietes ni espadas. Fuimos a la batalla con una cosa: valor.

Por supuesto, nuestro valor provenía de Dios.

Al final fueron nuestras voces las que hicieron que los muros se derrumbaran. Dios nos ha dado una voz a cada uno de nosotros; una voz para contarles a los demás sobre el amor de Dios y una voz para hablar palabras que exalten y honren a Dios.

¿De qué manera puedes tú usar la voz para llevar un mensaje del amor de Dios al mundo que te rodea? ¿Tienes el valor de contarles a otros sobre Él? Te aseguro esto, Dios estará contigo como lo estuvo conmigo.

JOSUÉ

El Poder de una Jovencita
Jueces 4
por Débora

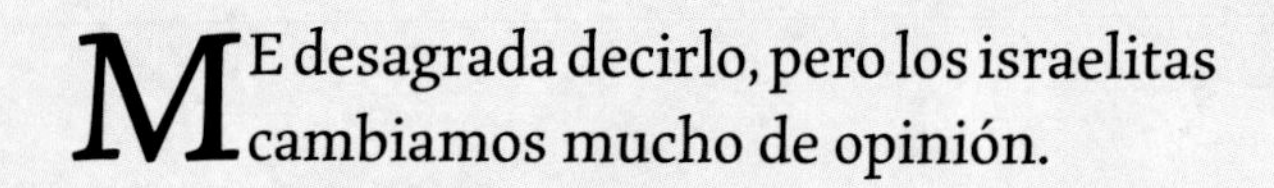

ME desagrada decirlo, pero los israelitas cambiamos mucho de opinión.

Un día adoramos a Dios y le damos gracias, y al día siguiente regresamos a nuestros antiguos caminos de maldad. Parece que no podemos salir de los problemas.

En uno de estos periodos, yo era líder en Israel. Durante veinte años habíamos estado bajo el control del rey Jabín, y él nos trataba como perros. El pueblo de Israel le suplicó a Dios que los salvara.

Dios me dijo que hiciera que un hombre llamado Barac reuniera a diez mil soldados para luchar contra el cruel ejército del rey, dirigido por el comandante Sísara. Pero Barac no quería hacerlo a menos que yo fuera con él. Así que fui, por supuesto, porque siempre es sabio seguir las instrucciones de Dios.

Les dije que pelearan; y pelearon. Para no cansarte, ganamos; de manera aplastante.

DE alguna forma, el comandante Sísara escapó. Mientras mataban a todos sus soldados, él salió corriendo a esconderse.

Pero Sísara cometió un GRAN error. Se encontró con una mujer llamada Jael, quien le ofreció leche y lo dejó esconderse en su tienda. Pero mientras Sísara dormía profundamente, Jael se encargó de ese hombre malvado. Digamos que este nunca más volvió a beber leche.

Después de esto, nuestro ejército se hizo cada vez más poderoso. Finalmente derrotamos al rey Jabín, y una vez más Dios nos dio la libertad.

Tengo que ser honesta. Ser mujer en estos tiempos difíciles no ha sido fácil. Las mujeres no tienen muchas oportunidades de ser líderes en este mundo nuestro. Entonces, cuando llega la oportunidad, es importante estar cerca de Dios.

Ser sabio tampoco es fácil, especialmente cuando todos a tu alrededor actúan como tontos. Por eso dependo de Dios. Él me da sabiduría y me ayuda a tomar las decisiones correctas.

Todo hombre, mujer y niño puede recibir sabiduría de Dios. Eso te incluye a ti. ¡Lo único que tienes que hacer es pedírsela!

¿Podrías *tú* emplear un poco de sabiduría en tu vida ahora? ¿Estás tratando de decidir qué es lo mejor que puedes hacer? Ora y pídele a Dios en este momento que te dé sabiduría. ¡Él lo hará!

→ DÉBORA ←

¿Quién, Yo?

JUECES 6–7

POR GEDEÓN

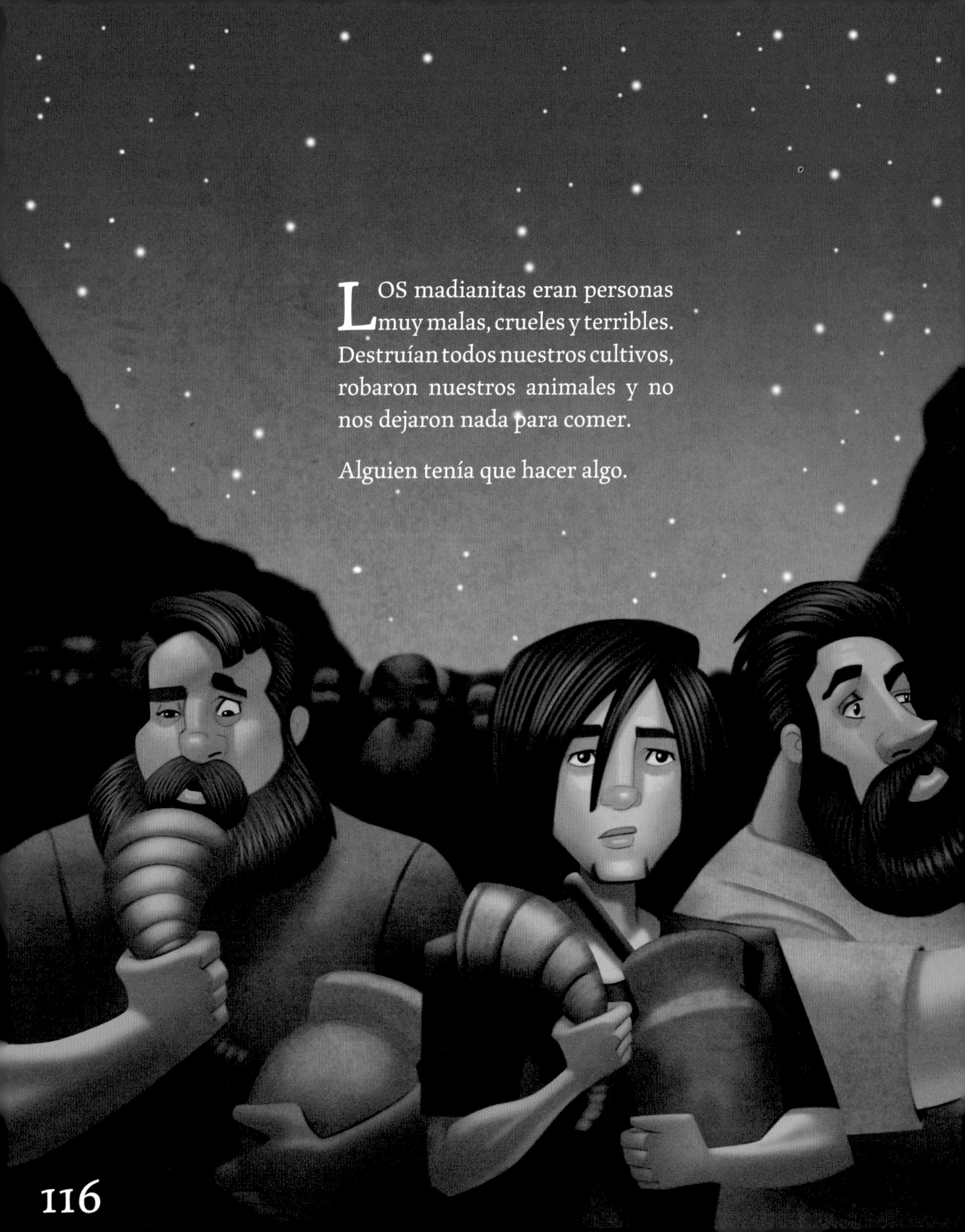

LOS madianitas eran personas muy malas, crueles y terribles. Destruían todos nuestros cultivos, robaron nuestros animales y no nos dejaron nada para comer.

Alguien tenía que hacer algo.

Imagínate mi sorpresa cuando ese alguien resultó ser yo. Especialmente porque estaba escondido en un lagar, trillando trigo para que los madianitas no lo encontraran. (Lo admito. Era un cobarde). Pero fue en ese preciso momento que Dios me habló.

—Vas a destruir a los madianitas —me dijo Dios.

—¿Yo? —pregunté—. Tienes que estar bromeando. Mi clan es el más débil de todas las tribus. Soy la última persona a la que alguien le pediría hacer algo así.

Pero Dios insistió. Le pedí a Dios tres veces que demostrara que realmente quería eso. Por supuesto, las tres veces Él me dio una señal.

Sin duda, Dios me quería para ese trabajo. Quizás era porque Él deseaba asegurarse de que todos supieran que era solo por Su poder, no por el mío, que los madianitas serían destruidos.

EL ejército de los madianitas era tan enorme que los soldados eran incontables. Entonces yo necesitaba formar el ejército más grande que pudiera reunir.

Pero Dios tenía otros planes.

Al principio reuní treinta y dos mil hombres. Dios señaló que eso era demasiado. Si ganábamos, podríamos decir que fue por nuestra fuerza, no la de Dios. Entonces envié a casa a todos los que tenían miedo de pelear. Quedaron diez mil soldados. Pero eso todavía era mucho más de lo que Dios quería.

Luego de otra prueba, quedaron trescientos hombres.

Trescientos nuestros contra innumerables soldados de ellos. Esperaba que Dios supiera lo que estaba haciendo.

Esperamos hasta que oscureció. Le di a cada hombre un cuerno de carnero y una vasija de barro con una antorcha dentro. Nos dispersamos por las colinas que rodeaban al enorme ejército de abajo. Luego, al mismo tiempo, tocamos nuestros cuernos, sacamos nuestras antorchas y gritamos: «¡Por el Señor y por Gedeón!».

Los madianitas entraron en pánico. Dios trajo tanta confusión que comenzaron a pelear entre ellos. ¡Los vencimos sin levantar una sola espada!

De ninguna manera podríamos haber ganado esa batalla nosotros solos. Es decir, ¿trescientos hombres con cuernos y antorchas contra un ENORME ejército de guerreros? Evidentemente Dios tenía el control.

Sin embargo, Dios tampoco lo hizo todo solo. Él nos dio instrucciones, y nosotros las seguimos. Y cuando obedecemos a Dios, Él puede hacer cosas asombrosas a través de nosotros.

De ahí proviene mi confianza. Cuando Dios y yo trabajamos juntos, podemos cambiar el mundo. Necesito a Dios a mi lado, y Dios me quiere a Su lado.

Como yo, ¿has tenido *tú* miedo alguna vez de hacer algo? Siempre que sientas que no eres lo suficientemente fuerte, deja que Dios sea tu fortaleza. ¡Con Dios, puedes hacer mucho más de lo que crees que puedes hacer!

GEDEÓN

Juntas

RUT 1–2

POR
RUT y
NOEMÍ

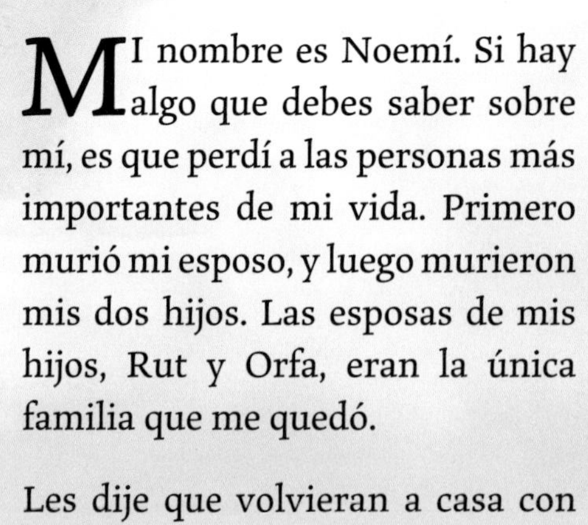

MI nombre es Noemí. Si hay algo que debes saber sobre mí, es que perdí a las personas más importantes de mi vida. Primero murió mi esposo, y luego murieron mis dos hijos. Las esposas de mis hijos, Rut y Orfa, eran la única familia que me quedó.

Les dije que volvieran a casa con sus madres, pero Rut no quiso ir. Ella me expresó algo que nunca olvidaré:

«A donde tú vayas, yo iré; dondequiera que tú vivas, yo viviré. Tu pueblo será mi pueblo, y tu Dios será mi Dios».

Eso me conmovió mucho. Así que comenzamos nuestro viaje *juntas*. Cuando llegamos a mi pueblo natal de Belén, ambas fuimos recibidas con brazos abiertos. Rut, como fiel amiga que es, fue directamente a trabajar; a recoger granos en los campos.

SOY Rut, la nuera de Noemí, y ella tiene razón. Yo quería hacer mi parte para que las dos tuviéramos algo que comer y viviéramos una vida decente.

Pero no fue fácil. La agricultura es un trabajo duro. Fui a un campo de cebada cercano y recogí el grano que los cosechadores dejaban atrás.

Pronto el dueño del campo me vio trabajando. Se llamaba Booz, y había escuchado sobre mi fiel amistad hacia Noemí y cómo había dejado a mi propia familia para ayudarla. Estaba asombrado de mi lealtad.

Booz me dio comida y agua. Él me cuidó y me dejó recoger granos todo el tiempo que quisiera.

Le mostré a Noemí toda la comida que recogí. ¡Ella se emocionó tanto! Yo sabía que había tomado la decisión correcta al ser la mejor amiga de Noemí.

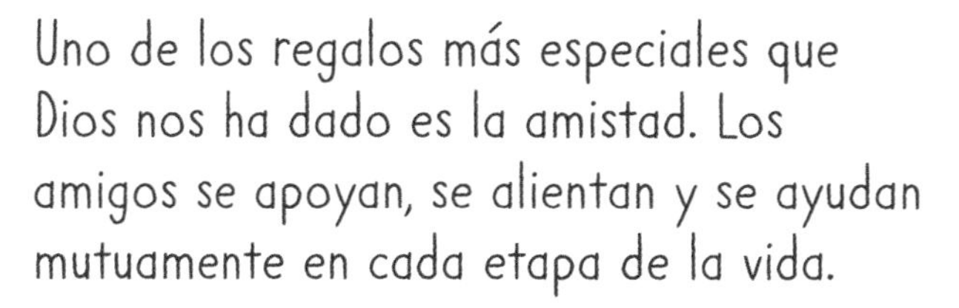

Uno de los regalos más especiales que Dios nos ha dado es la amistad. Los amigos se apoyan, se alientan y se ayudan mutuamente en cada etapa de la vida.

Nosotras dos somos las mejores amigas. Pero no solo somos amigas entre nosotras, también somos amigas de Dios.

Tener una relación con Dios es como una amistad. Pasamos tiempos juntos, nos hablamos y nos honramos. *Nunca* tendrás un amigo mejor que Dios.

Piensa en uno de tus mejores amigos. ¿Qué les gusta hacer juntos? ¿Qué es lo que más te gusta de tu amigo? ¿De qué manera ser amigo de esa persona es como ser amigo de Dios?

RUT Y NEOMÍ

Una Oración y una Promesa

1 SAMUEL 1:9–28

POR ANA

EN la vida solo deseaba una cosa: un hijo. Sin embargo, pasaba año tras año, y nada. No llegaba el niño. ¿Es que nunca llegaría?

Fui al tabernáculo a rogarle a Dios que me diera un niño. Incluso hice una promesa. Si Dios me daba un hijo, yo se lo devolvería a Él.

Yo lloraba y oraba en voz alta. ¡Debo haber dado una impresión extraña! Elí, el sacerdote, me preguntó qué pasaba. Cuando le dije lo triste que estaba, Elí me aseguró que Dios respondería mi oración.

¡Y Dios lo hizo!

A mi hermoso bebé lo llamé Samuel. ¡Lo amaba mucho! Lo cuidé, y cuando tenía unos pocos años, se lo llevé a Elí al tabernáculo.

Fue un gran honor dedicar a Samuel a Dios. Él sirvió a Dios por el resto de su vida.

Sé que Dios no siempre nos da lo que pedimos. Podemos rogar y suplicar y hacer todo tipo de promesas. Pero siempre depende de Dios decidir cuándo y qué debemos y no debemos tener.

¡Afortunadamente, Dios sabe qué es lo mejor! Y podemos hablar con Él en todo momento, en todo lugar, sobre cualquier cosa.

Dios me dio a Samuel, y estoy muy agradecida por este precioso niñito.

¿Por qué motivo oras *tú*? ¿Hay algo que quieras pedirle a Dios? Prueba hablar con Él ahora mismo. Solo di lo que tienes en la mente y habla con Dios de la misma manera que hablarías con un amigo cercano.

ANA

A TRAVÉS DE LOS OJOS DE DIOS

POR SAMUEL

1 SAMUEL 16:1–13

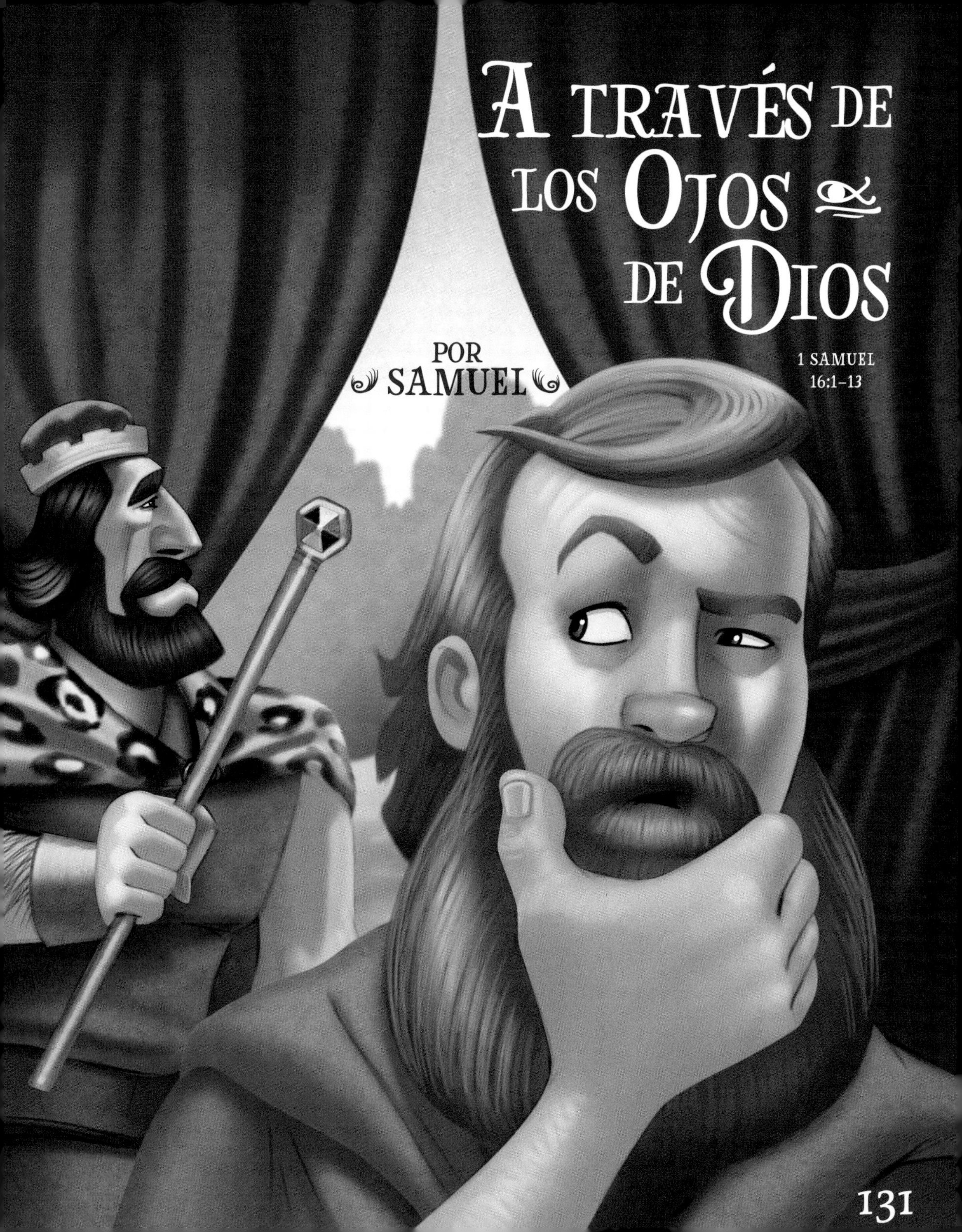

DESEARÍA poder decirte que todos los reyes de Israel fueron buenos, pero algunos de ellos fueron terribles. No hicieron lo que Dios quería. Saúl fue un rey como estos, y Dios deseaba que yo encontrara un rey nuevo.

—Ve a Belén y habla con Isaí. Uno de sus hijos será el nuevo rey —me dijo Dios.

Pero yo tenía miedo. ¿Qué pasa si Saúl se enteraba? ¡Podría matarme! Todo el mundo sabe que tiene un poco de mal genio.

Pero hice lo que Dios me dijo. Fui a Belén. Luego invité a Isaí y sus hijos a que adoraran a Dios conmigo. Los hijos de Isaí eran grandes y fuertes.

De inmediato supe que uno de estos siete tipos fuertes sería un gran rey.

Sin embargo, Dios veía las cosas de manera diferente.

—No presten atención a su apariencia —dijo—; solo me interesa lo que hay en su corazón.

Miré a cada uno de los hijos de Isaí, uno tras otro. Pero uno tras otro, Dios dijo: «No, no es él».

Y ahora, ¿qué se suponía que debía hacer? Me sentí un poco tonto parado allí. Pero luego tuve una idea.

¿TIENES otros hijos? —pregunté.

—Sí, pero... —respondió Isaí—, pero es el más joven de los muchachos. Su nombre es David. Está en el campo con las ovejas y las cabras.

—Necesito ver a este también —le dije.

Cuando llegó David, vi que era un joven apuesto, y de ojos hermosos. A mí no me parecía un rey, pero Dios sabía cómo era por dentro. Dios dijo: «Este es. Úngelo».

(¡Vaya! ¡Qué alivio!)

—¡Este es! —expresé.

En ese momento y allí mismo tomé un poco de aceite especial y lo vertí sobre la cabeza de David. El Espíritu de Dios vino sobre él de manera poderosa ese día, y tuve la impresión de que iba a ser un gran rey.

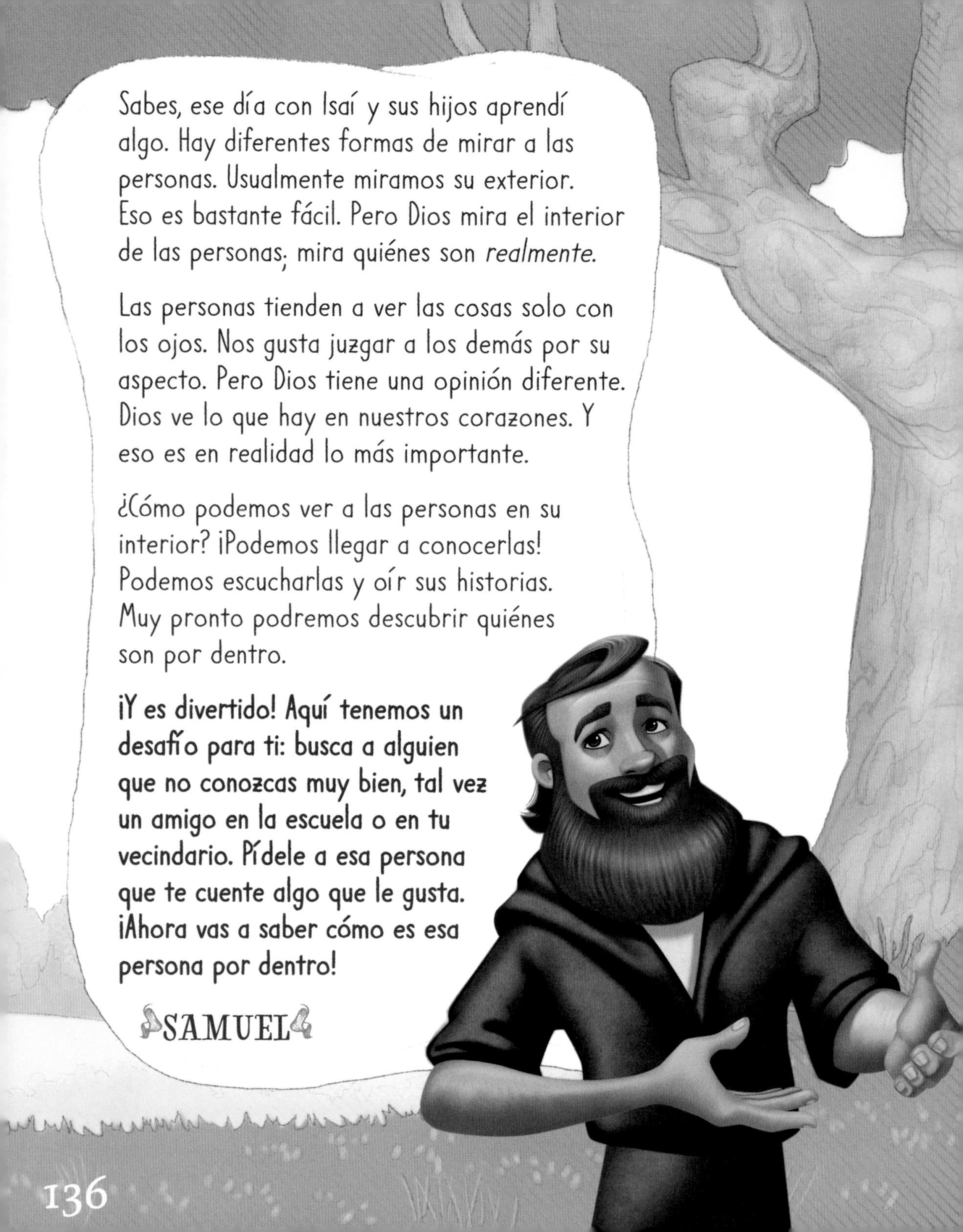

Sabes, ese día con Isaí y sus hijos aprendí algo. Hay diferentes formas de mirar a las personas. Usualmente miramos su exterior. Eso es bastante fácil. Pero Dios mira el interior de las personas; mira quiénes son *realmente*.

Las personas tienden a ver las cosas solo con los ojos. Nos gusta juzgar a los demás por su aspecto. Pero Dios tiene una opinión diferente. Dios ve lo que hay en nuestros corazones. Y eso es en realidad lo más importante.

¿Cómo podemos ver a las personas en su interior? ¡Podemos llegar a conocerlas! Podemos escucharlas y oír sus historias. Muy pronto podremos descubrir quiénes son por dentro.

¡Y es divertido! Aquí tenemos un desafío para ti: busca a alguien que no conozcas muy bien, tal vez un amigo en la escuela o en tu vecindario. Pídele a esa persona que te cuente algo que le gusta. ¡Ahora vas a saber cómo es esa persona por dentro!

SAMUEL

DIOS ESTÁ DE MI LADO

1 SAMUEL 17

POR DAVID

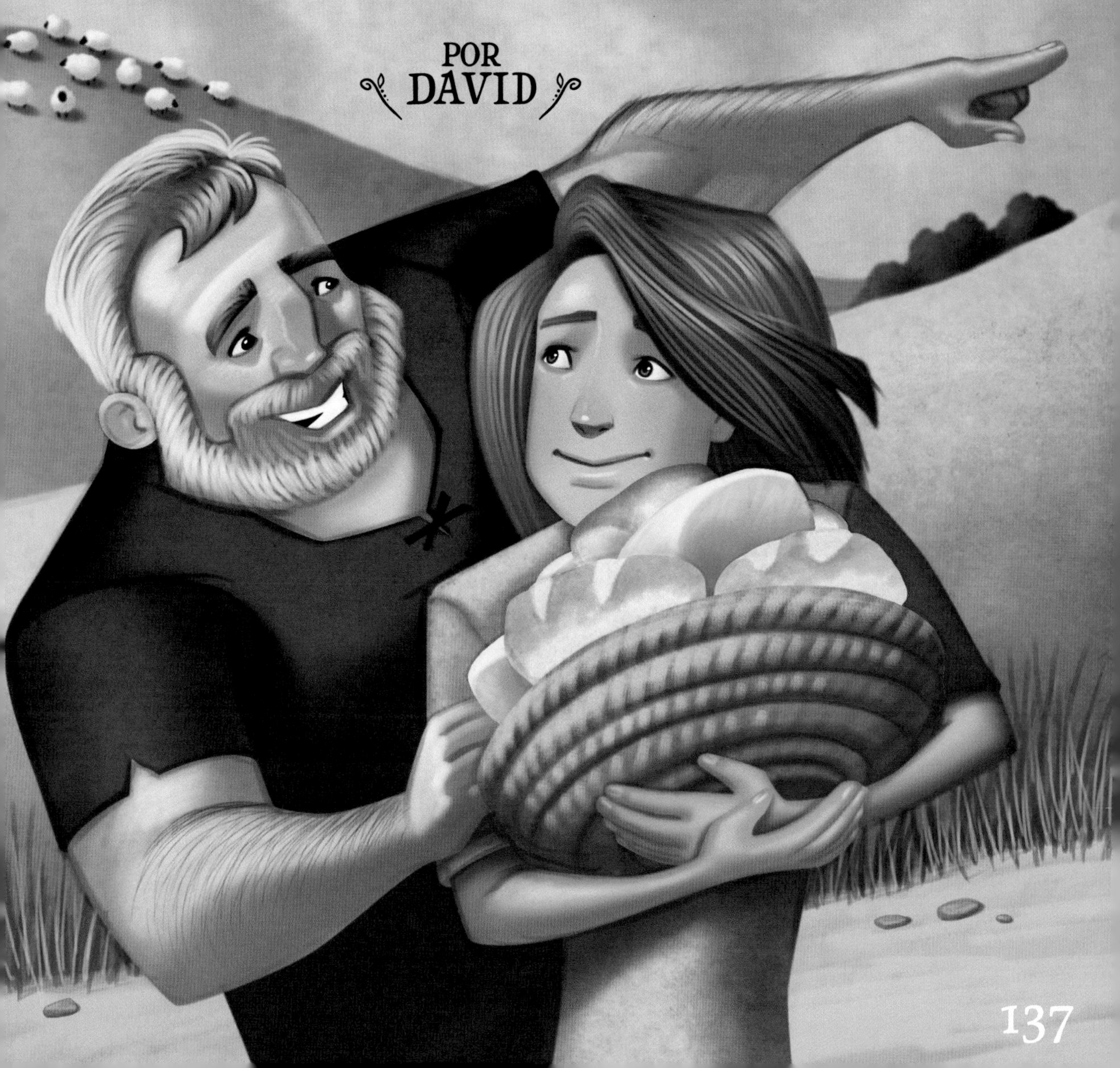

NO es fácil ser el más joven de la familia. Mientras mis hermanos mayores se embarcan en emocionantes aventuras, yo me quedo atrás haciendo cosas aburridas como vigilar las ovejas. Las ovejas no hacen mucho; simplemente se pasan todo el día comiendo hierba. Aburrido.

Por eso me emocioné cuando papá me pidió que llevara pan y granos a mis hermanos. Ellos eran soldados en el ejército de Saúl, y enfrentaban a un enemigo llamado los filisteos. Los filisteos se jactaban de su temible guerrero Goliat, que medía más de nueve pies (2,5 metros) de altura. ¡Eso es ENORME!

Todos los días, este desafiaba a pelear a nuestros guerreros más fuertes, pero nadie era lo suficientemente valiente como para enfrentarlo. Incluso el rey Saúl tenía miedo de ese gran bravucón.

Mi papá preparó el pan y el grano y dijo: «David, lleva esta comida a tus hermanos. Luego, regresa y dime cómo les va». Parecía muy preocupado.

Cuando encontré a mis hermanos, estaban muertos de miedo. De hecho, todos los soldados de nuestro ejército estaban aterrorizados. Por cuarenta días seguidos, Goliat se había estado burlando de nosotros y desafiando a nuestro Dios. Nuestro ejército temblaba de pies a cabeza.

No lo podía creer. ¡Nadie era más fuerte que Dios! Dios nos daría la fuerza para luchar.

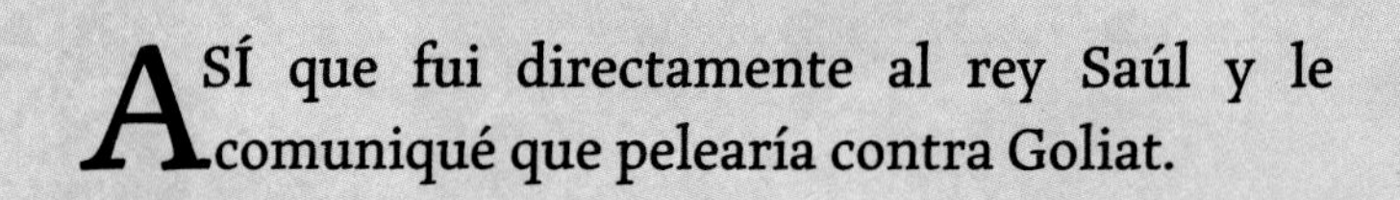

ASÍ que fui directamente al rey Saúl y le comuniqué que pelearía contra Goliat.

«¡De ninguna manera! —exclamó Saúl—. Solo eres un renacuajo. ¡Ese matón te aplastará como a un insecto!».

Pero yo no tenía miedo. Sabía que Dios estaba de nuestro lado. Saúl me dio su propia armadura pesada como protección, pero yo no la necesitaba. Dios sería mi armadura.

Agarré mi honda y algunas piedras lisas del arroyo. Luego salí para enfrentar al gigante. De cerca, era incluso más gigante de lo que imaginaba. ¡Solo una de sus piernas era más grande que todo mi cuerpo!

Aun así, no tuve miedo.

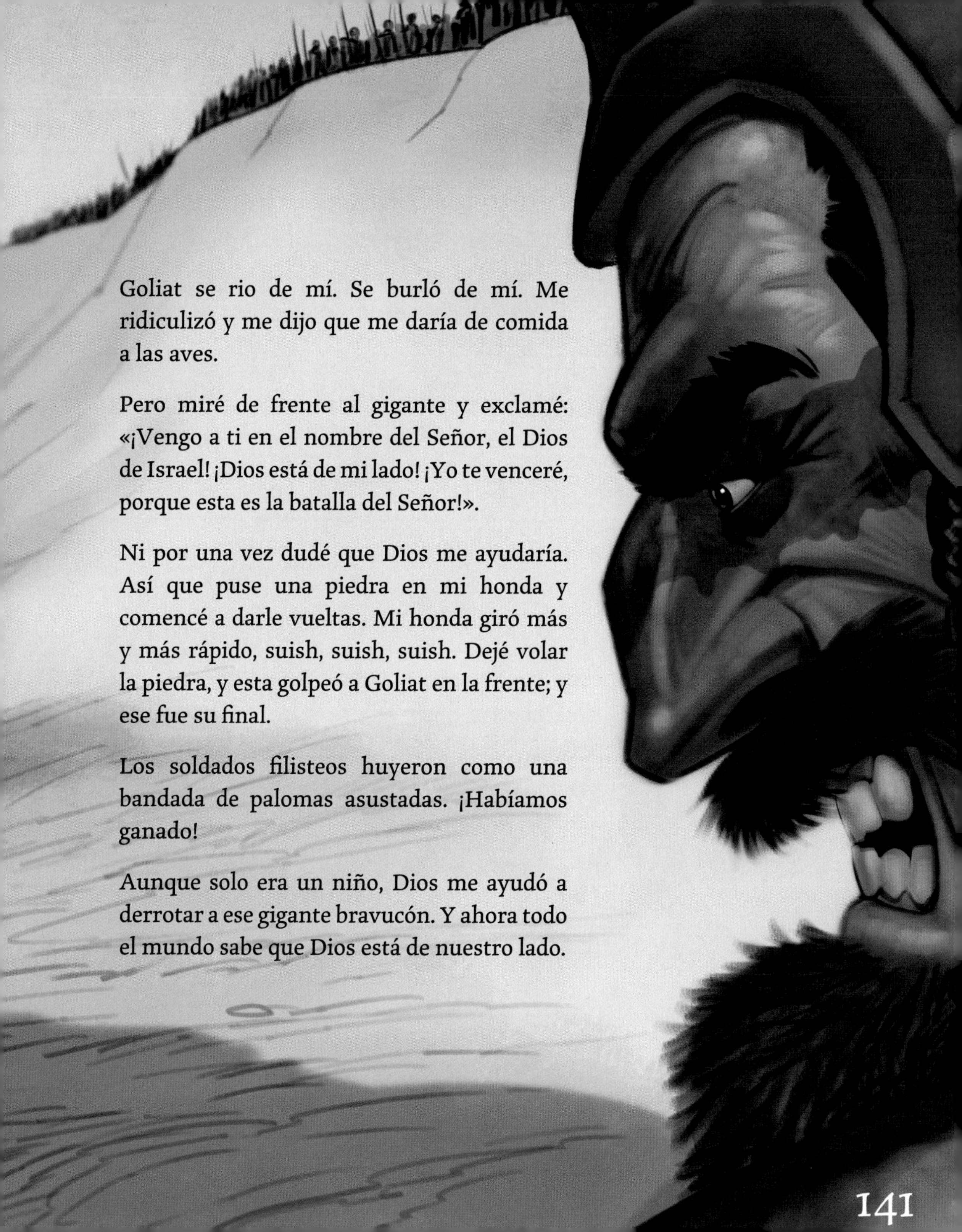

Goliat se rio de mí. Se burló de mí. Me ridiculizó y me dijo que me daría de comida a las aves.

Pero miré de frente al gigante y exclamé: «¡Vengo a ti en el nombre del Señor, el Dios de Israel! ¡Dios está de mi lado! ¡Yo te venceré, porque esta es la batalla del Señor!».

Ni por una vez dudé que Dios me ayudaría. Así que puse una piedra en mi honda y comencé a darle vueltas. Mi honda giró más y más rápido, suish, suish, suish. Dejé volar la piedra, y esta golpeó a Goliat en la frente; y ese fue su final.

Los soldados filisteos huyeron como una bandada de palomas asustadas. ¡Habíamos ganado!

Aunque solo era un niño, Dios me ayudó a derrotar a ese gigante bravucón. Y ahora todo el mundo sabe que Dios está de nuestro lado.

No tuve miedo de enfrentar a Goliat porque sabía que Dios estaba conmigo. Todos los demás tenían miedo, mis hermanos, los soldados e incluso el rey Saúl. Ellos se olvidaron de que Dios estaba de su parte.

Es posible que nunca pelees con un gigante como Goliat de la manera que yo lo hice. Pero en tu vida enfrentas a otros «Goliat» que podrían asustarte. Recuerda que Dios siempre está de tu parte. Incluso cuando parece que todos los demás tienen miedo, tú no tienes que sentirte así.

¿Qué puedes decir cuando tienes miedo? ¿Qué puedes decir que te haga sentir valiente? Escribe una o dos cosas que puedas decir que te recuerden que Dios está de tu lado.

DAVID

Deja la Locura

1 SAMUEL 25:2–38

POR ABIGAIL

Mi esposo, Nabal, no es el hombre más agradable del mundo. A decir verdad, es un poco gruñón. En realidad, es un gran tonto.

Y puedo decirte ahora mismo que esta historia no tiene un buen final para él.

Era tiempo de esquilar ovejas, y David envió a diez de sus hombres para llevar un mensaje de paz y bendiciones a Nabal. Le preguntaron a Nabal si tenía comida y suministros extras que pudiera darles, ya que los hombres de David siempre habían sido buenos con nosotros. Ellos ayudaron a nuestra familia y protegieron nuestras ovejas.

Qué bueno ayudarlos ahora a ellos, ¿verdad?

Nabal no pensaba así. De hecho, este mensaje lo enojó. A estos jóvenes amables les gritó y los ofendió. Incluso expresó algunas cosas desagradables sobre David. ¡Qué bravucón!

POR supuesto, esto enfureció a David, quien se preparó para luchar. Él y cuatrocientos de sus hombres tomaron las espadas y salieron a matar a Nabal y a todos en nuestra granja. Uno de nuestros sirvientes se enteró de su plan y corrió a contármelo.

Tenía que hacer algo, y rápido.

Recogí toda la comida que pude: pan, carne, granos, pasas, pasteles de higos y mucha bebida. Lo cargué en unos burros y salí a toda prisa a encontrarme con David. Esperaba no llegar demasiado tarde.

Cuando vi a David corrí hacia él y caí a sus pies. Me disculpé una y otra vez por el terrible comportamiento de Nabal.

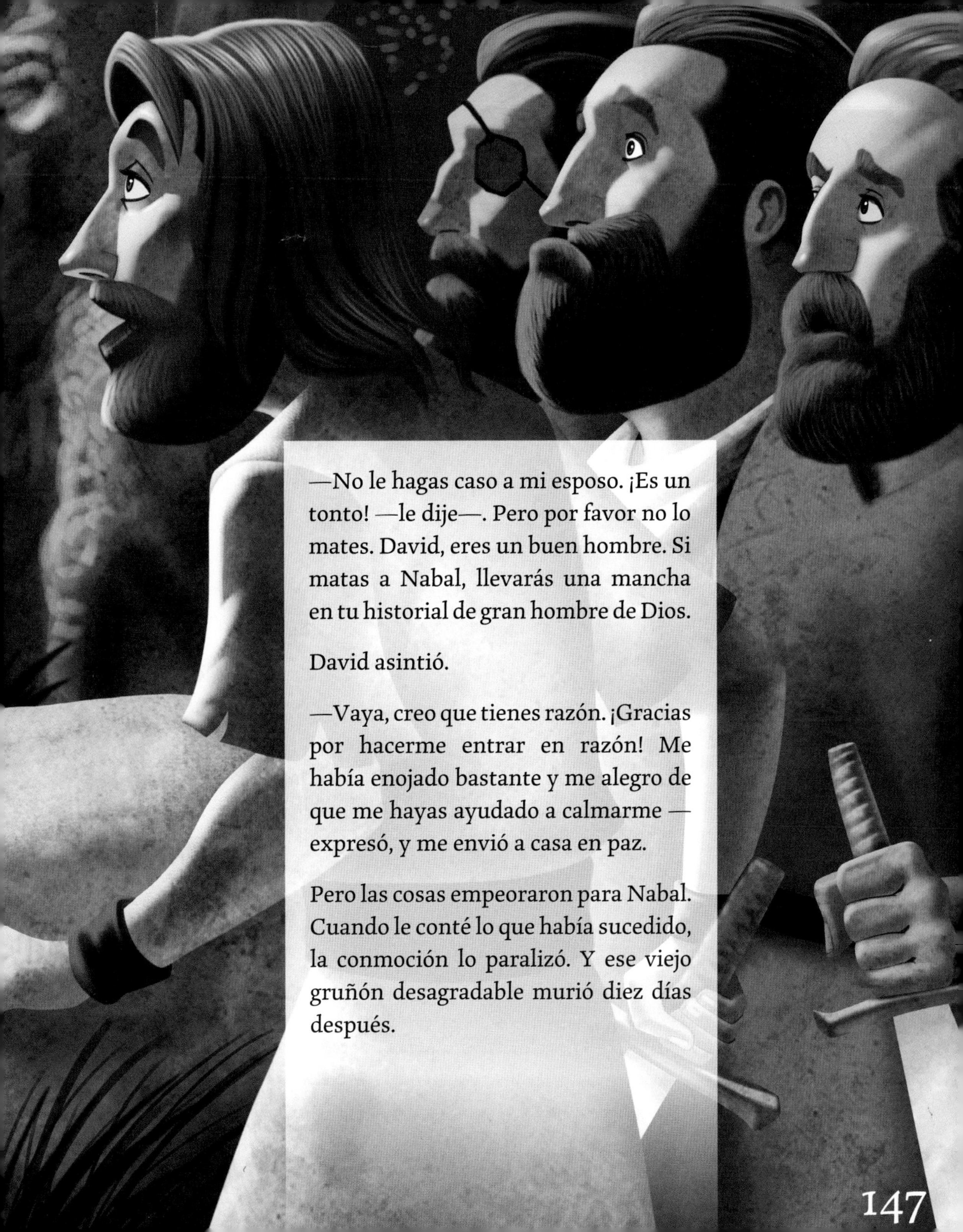

—No le hagas caso a mi esposo. ¡Es un tonto! —le dije—. Pero por favor no lo mates. David, eres un buen hombre. Si matas a Nabal, llevarás una mancha en tu historial de gran hombre de Dios.

David asintió.

—Vaya, creo que tienes razón. ¡Gracias por hacerme entrar en razón! Me había enojado bastante y me alegro de que me hayas ayudado a calmarme —expresó, y me envió a casa en paz.

Pero las cosas empeoraron para Nabal. Cuando le conté lo que había sucedido, la conmoción lo paralizó. Y ese viejo gruñón desagradable murió diez días después.

Sabes, lo de mi esposo fue algo triste. Nunca llegó a experimentar el gozo de ser amable. Incluso cuando otros intentaban ser amables con él, él arremetía con ira. Así no se puede vivir la vida.

Todos nos enojamos a veces; y eso es normal. Pero Dios desea que controlemos nuestra ira. Ser amigo de Dios significa amar a las personas como Dios las ama. Y no podemos amar a las personas si estamos airados todo el tiempo.

Prefiero estar en paz con la gente. Así es como quiero pasar mi vida: siendo una pacificadora.

Ya sabes, ¡es fácil ser amable! Busca a alguien hoy y dile algo que realmente te gusta de él o ella.

ABIGAIL

Pide un Deseo

1 REYES 3; PROVERBIOS 1:1–7; 2:1–22

AMO a Dios. ¡Lo amo de verdad! Quiero hacer todo lo posible para honrar a Dios. Yo lo adoro y lo honro cada vez que tengo la oportunidad.

Una noche tuve un sueño especial. Dios me dijo: «¡Pídeme lo que quieras, y yo te lo daré!». *Guau*, pensé. *¿Lo que quiera?* ¿Podía tener todas las riquezas del mundo? ¿Una vida larga? ¿Triunfar sobre mis enemigos?

Dios ha sido muy bueno conmigo y con mi familia, especialmente con mi padre, el rey David. Yo quería honrar a Dios al ser un buen gobernante para Su pueblo. Pero sinceramente la mitad de las veces no sé lo que hago, así que mi respuesta a Dios fue fácil.

Pedí sabiduría.

Eso hizo feliz a Dios, y Él me hizo el hombre más sabio del mundo. Pero también me dio mucho más: riquezas, fama y poder.

LA sabiduría de Dios me ha sido muy útil. Justo el otro día, dos mujeres se me acercaron para resolver una discusión horrible. Cargaban un bebé y ambas estaban *muy* molestas.

—¡Su bebé murió y lo cambió por mi bebé recién nacido! —dijo sollozando la primera mujer.

—¡De ninguna manera! —gritó la otra mujer—. ¡El que murió fue su bebé!

Era una situación imposible, pero la sabiduría de Dios me ayudó a resolver el misterio.

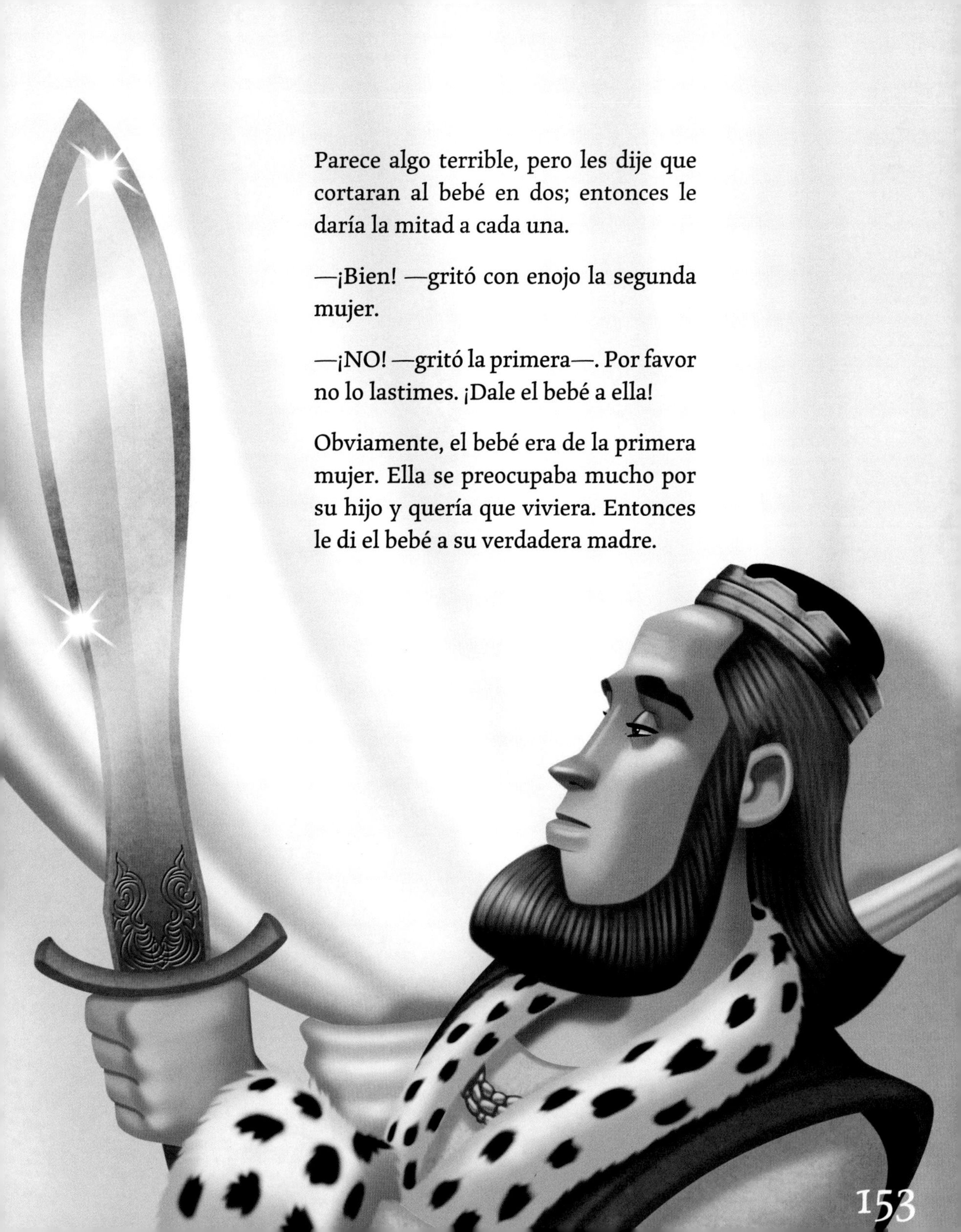

Parece algo terrible, pero les dije que cortaran al bebé en dos; entonces le daría la mitad a cada una.

—¡Bien! —gritó con enojo la segunda mujer.

—¡NO! —gritó la primera—. Por favor no lo lastimes. ¡Dale el bebé a ella!

Obviamente, el bebé era de la primera mujer. Ella se preocupaba mucho por su hijo y quería que viviera. Entonces le di el bebé a su verdadera madre.

Créeme, la sabiduría es mejor que cualquier otro tesoro del mundo. Mi reino prosperó porque la sabiduría de Dios guio las decisiones que tomé.

Ser sabio no garantiza que seas rico, famoso ni poderoso. Pero la sabiduría es gratis. Y Dios nos ama tanto que nos la dará cuando se la pidamos.

Una de las mejores maneras de obtener sabiduría es leyendo la Palabra de Dios. Ahora mismo lo estás haciendo. ¡Bien hecho! Dios nos habla mediante la Biblia y puede ayudarnos a entender cómo nuestra amistad con Él puede desarrollarse.

¡Pruébalo! Lee la Biblia todas las noches antes de acostarte.

—SALOMÓN—

Más Real, Imposible

1 REYES 18:1–40

POR ELÍAS

Algunas personas les cuesta trabajo creer que Dios las ama.

¡Pero a mí no! Dios me ha cuidado en momentos realmente difíciles. Cuando me escondía del malvado rey Acab en el desierto, Dios envió cuervos que me llevaran comida todos los días. Los cuervos son aves carnívoras. ¡Pensar que Dios me mostró Su amor a través de las aves!

Pero yo no podía esquivar a Acab toda la vida. Aunque ese buscapleitos quería matarme, Dios me envió a demostrarle que Él era real, y que los dioses falsos de Acab eran... bueno... falsos.

Me encontré con Acab en el monte Carmelo para un gran enfrentamiento. Él llevó a cuatrocientos cincuenta de sus profetas de Baal. (Baal era el dios falso que Acab eligió seguir en lugar del único Dios verdadero). Les dije a los profetas de Acab que construyeran un altar a Baal mientras yo construía mi propio altar a Dios.

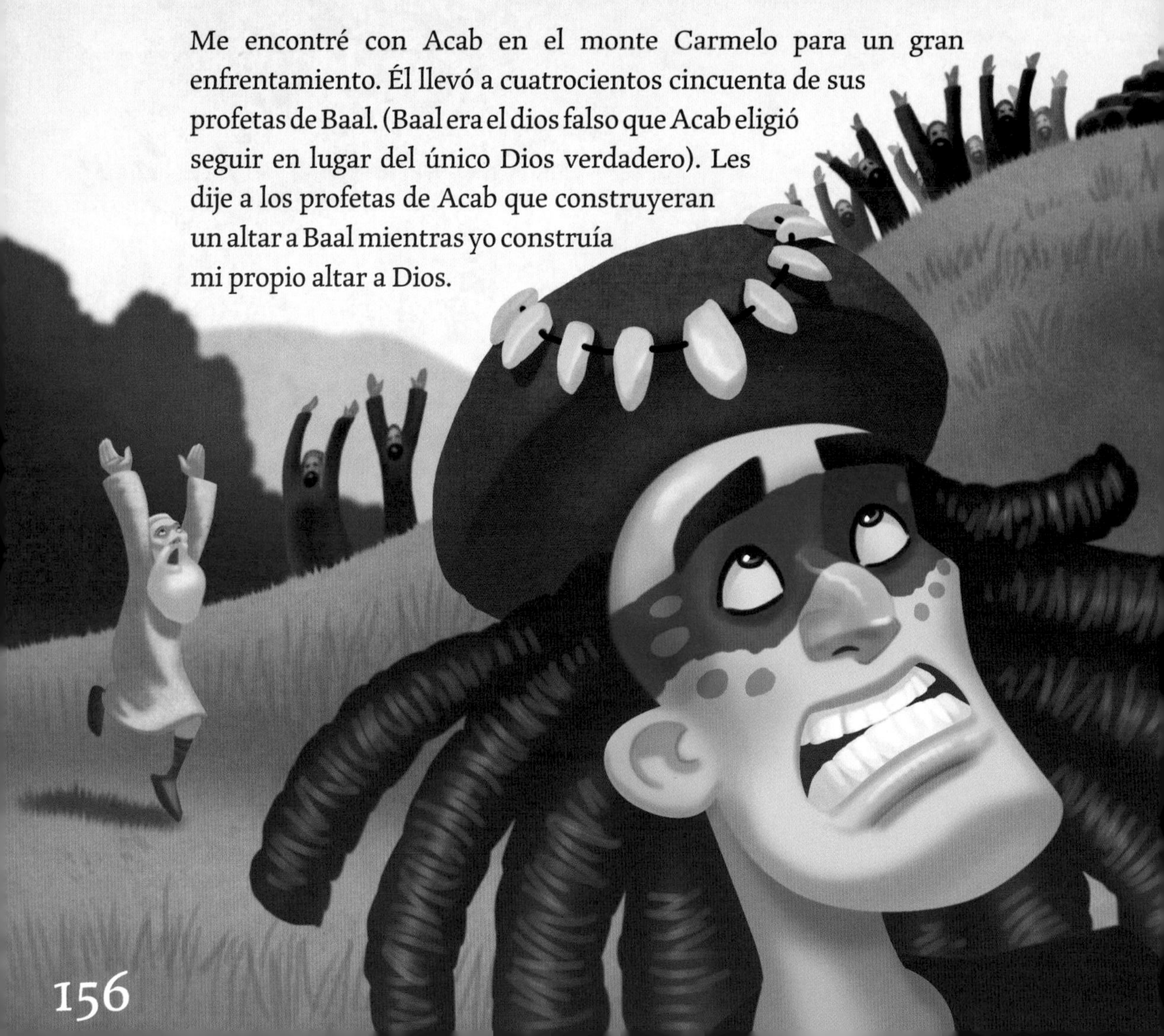

«¡El dios que envíe fuego al altar ese es el único Dios verdadero! —dije—. Si Baal es Dios, entonces síganlo. ¡Pero si el Señor es Dios, entonces síganlo a Él!».

Aquellos pobres profetas de Baal trataron, y trataron, y trataron, y trataron de hacer que Baal mandara fuego. Bailaron y gritaron como un montón de tontos. Les dije que gritaran más fuerte, pero de nada sirvió.

Me burlé de ellos porque sabía que no pasaría nada. «¡Tal vez Baal se fue de vacaciones! ¡Quizás esté dormido! ¡Tal vez esté en el baño!».

LUEGO llegó mi turno. (Por favor, suenen los tambores).

Tenía a toda la gente reunida cerca de mí para que pudieran ver lo que estaba haciendo. Les pedí que echaran doce jarras grandes de agua sobre mi altar. ¡Estaba empapado!

Luego me paré frente al altar y oré: «Dios, demuéstrales a estas personas que realmente estás ahí. Demuéstrales que eres el *único Dios verdadero*».

No había terminado de orar, cuando un destello de fuego cayó del cielo. En un instante, quemó mi altar hasta la tierra. Todo quedó en cenizas, ¡incluso las piedras!

No hace falta decir que todos quedaron admirados. La gente cayó al suelo y exclamó: «¡El Señor, Él es Dios! ¡Sí, el Señor es Dios!».

¡Sí! Sí, Él es Dios.

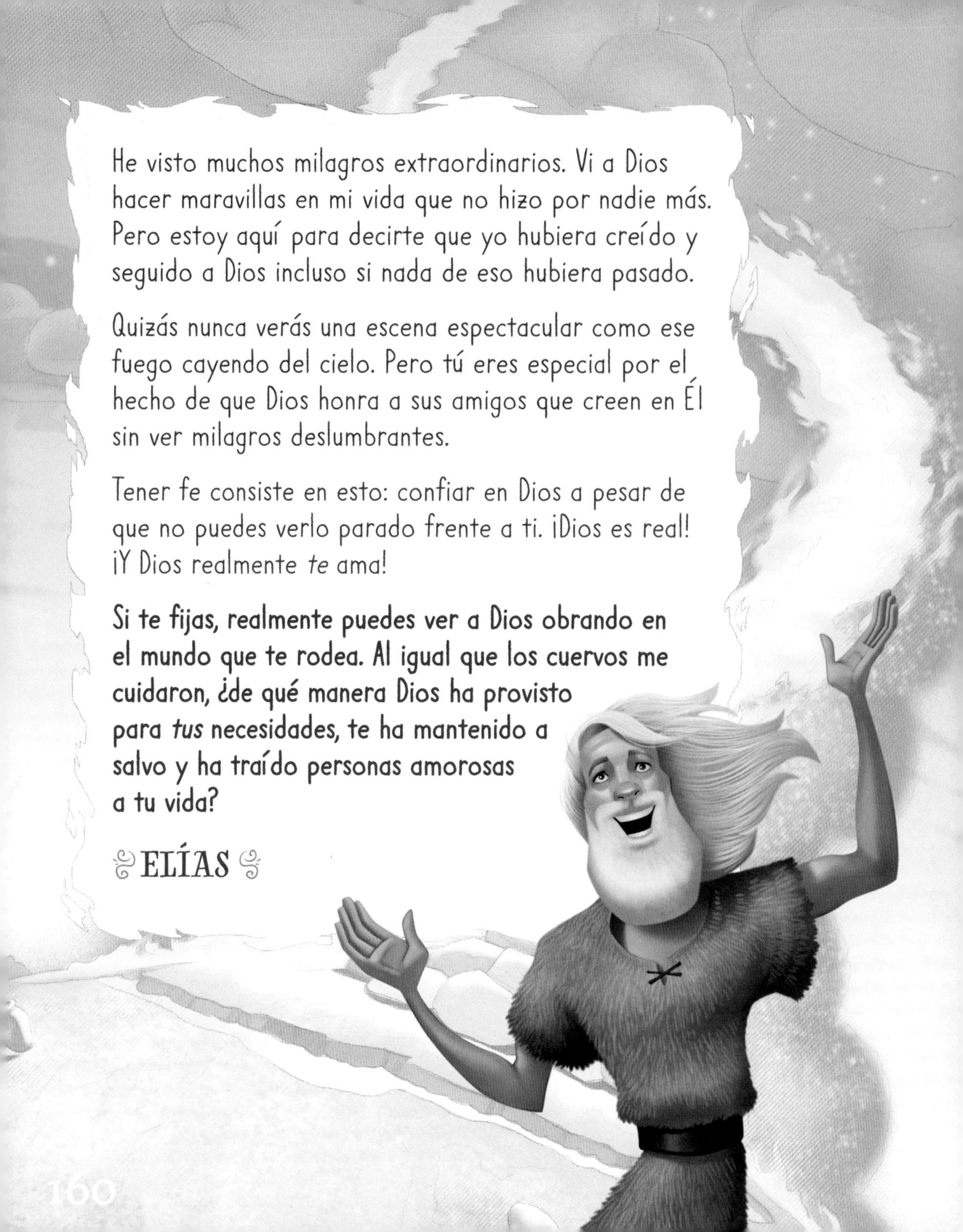

He visto muchos milagros extraordinarios. Vi a Dios hacer maravillas en mi vida que no hizo por nadie más. Pero estoy aquí para decirte que yo hubiera creído y seguido a Dios incluso si nada de eso hubiera pasado.

Quizás nunca verás una escena espectacular como ese fuego cayendo del cielo. Pero tú eres especial por el hecho de que Dios honra a sus amigos que creen en Él sin ver milagros deslumbrantes.

Tener fe consiste en esto: confiar en Dios a pesar de que no puedes verlo parado frente a ti. ¡Dios es real! ¡Y Dios realmente *te* ama!

Si te fijas, realmente puedes ver a Dios obrando en el mundo que te rodea. Al igual que los cuervos me cuidaron, ¿de qué manera Dios ha provisto para *tus* necesidades, te ha mantenido a salvo y ha traído personas amorosas a tu vida?

ELÍAS

Déjalo fluir, déjalo fluir, déjalo fluir

2 REYES 4:1–7

POR ELISEO

Me parece que a Dios le gustan las sorpresas. ¡Nunca sabes qué nueva forma creativa Él usará para darte lo que necesitas!

Por ejemplo, mira a esta pobre viuda que acabo de conocer. Su esposo murió y la dejó con muchas deudas. El banquero quería su dinero, e incluso amenazó con llevarse a sus dos hijos y venderlos como esclavos. Pero ella estaba en la ruina. Lo único que tenía era un pequeño frasco de aceite de oliva.

Entonces ella me pidió ayuda. Yo sabía que Dios vendría a rescatarla.

Le dije que pidiera prestadas todas las jarras que pudiera encontrar: de amigos, vecinos, cualquiera que tuviera una o dos jarras sin usar. Luego le indiqué que echara el aceite de su único frasco en todas las jarras vacías.

Ella echó. Y echó. Y echó. Y echó. Y echó. Sus hijos seguían llevándole más y más jarras, y su pequeño frasco llenó hasta el borde todas las jarras. ¡Sorpresa!

«Ahora tú y tus hijos pueden vender el aceite y pagar las deudas —le dije—. ¡Incluso les quedará algo para vivir!».

Dios podría haber resuelto sus necesidades de cien maneras diferentes. ¡Pero Él la sorprendió con más de lo que ella esperaba!

¿No te gustan los finales felices? Aquel pequeño frasco de aceite se convirtió en una fuente de alegría para esa pobre viuda y sus hijos.

¡El amor de Dios funciona de la misma manera! Dios sigue vertiendo Su amor en tu vida y nunca se acaba.

Dios satisfizo las necesidades de esa viuda, y Dios también satisface *tus* necesidades. Menciona algunas de las necesidades que tienes en tu familia. Luego ora a Dios y pídele ayuda. ¡Es posible que lo que Dios haga te sorprenda!!

ELISEO

Perdido y Hallado

2 REYES 22–23

POR

JOSÍAS

IMAGINA que tengas todo a tu cargo. Podrías escribir todas las leyes, mandar a todos los que te rodean y hacer lo que quieras.

Eso exactamente me pasó a mí. ¡Me convertí en rey de Israel cuando tenía ocho años! Eso es mucho poder para un niñito como yo. Y aunque podía hacer lo que quisiera, había algo que quería hacer más que cualquier otra cosa: honrar a Dios.

Cuando fui mayor, comencé un plan para restaurar el templo de Dios, el edificio donde la gente adoraba a Dios. Hacía muchos años que no se usaba, y estaba hecho un desastre sucio y polvoriento.

Mientras la gente arreglaba el templo, el sacerdote encontró un pergamino dentro que tenía todas las reglas de Dios. Había estado perdido y olvidado por quién sabe cuánto tiempo.

Mi secretario me lo leyó, y no podía creer lo que estaba escuchando. ¡Ay! Mi pueblo no había estado obedeciendo a Dios como debíamos. Este pergamino nos afirmaba que Dios estaba tan enojado que nos iba a castigar; y duramente.

¡Yo estaba tan disgustado! Lloré y me rasgué la ropa. ¿Qué podíamos hacer?

ENSEGUIDA envié a mis funcionarios a hablar con Hulda, la profetisa. Ella era sabia y yo esperaba que nos pudiera ayudar.

Hulda dijo que, debido a mi pesar, y a que me puse realmente triste cuando escuché las noticias, Dios no nos castigaría mientras yo viviera.

Dios me había ayudado a descubrir Su Escritura. Ahora sabía lo que tenía que hacer.

Reuní a todas las personas y leí todas las reglas de Dios. Luego me comprometí a obedecer a Dios por el resto de mi vida. Destruí todos los altares, santuarios e ídolos a todos los dioses falsos. ¡Limpié la casa!

Ahora las reglas de Dios eran nuestras reglas. El Señor era nuestro Dios. Y el resto de mis días como rey lo pasé amando y honrando a Dios como Él quería que lo hiciéramos desde el principio.

Ser rey es más difícil de lo que piensas. ¡Y ser un niño rey es aún más difícil! Desde el principio supe que sin la ayuda de Dios no podría hacer un buen trabajo.

Nunca leí la Sagrada Escritura de Dios hasta que tuve veintiséis años. Pero cuando la leí, supe que tenía que obedecerla.

Y ahora estoy cerca de Dios. Escucho a Dios, oro a Dios, adoro a Dios y pienso en Dios todo el día. Sé que Él me ama y siempre será mi amigo.

Crecer cerca de Dios es mucho mejor que ser rey. Así que, procuro estar cerca de Dios leyendo Su libro, la Biblia, todos los días. ¡Tú también puedes hacerlo! Intenta leer una de las historias de Dios todos los días.

JOSÍAS

En Casa, ¡al fin!

ESDRAS 3:1–13; 7:1–10; 9:6–10:17

POR ¡¡ESDRAS!!

¡SER parte del pueblo de Dios en estos tiempos fue emocionante! Habíamos vivido como esclavos en Babilonia durante setenta años cuando el rey Ciro decidió que era hora de que regresáramos a Jerusalén.

Una de las primeras cosas que queríamos hacer era reconstruir el templo, el edificio donde adorábamos a Dios. El primer grupo que regresó a Jerusalén puso en marcha el proyecto. Compraron enormes troncos de cedro y los hicieron flotar por la costa desde el Líbano.

Ellos se ocuparon de reconstruir el altar y los cimientos del templo. Todos se sentían felices de nuevo. Se hizo una pausa para celebrar y agradecer a Dios. Los sacerdotes tocaron trompetas y se escucharon los címbalos, y todas las personas entonaron una canción que decía algo así:

«¡Dios es tan bueno! ¡Su amor permanece para siempre!».

Ellos gritaron y lloraron, y luego lloraron y gritaron un poco más. Su dulce clamor se podía escuchar a kilómetros de distancia.

DESPUÉS de terminado el templo, yo viajé a Jerusalén con un segundo grupo. Nuestro pueblo había reconstruido el templo, y ahora era el momento de reconstruir a nuestro pueblo, enseñándoles sobre Dios.

Con el templo terminado y nuestra gente cada vez más cerca de Dios, quisimos hacer una fiesta.

Pero no una fiesta cualquiera. Nuestro pueblo no había sentido tanto gozo en mucho, mucho tiempo. Dedicamos el nuevo templo a Dios con cientos de ofrendas. Una vez más, teníamos un lugar propio donde podíamos adorar a Dios juntos, como en los viejos tiempos.

¡Estábamos en casa!

Una de las mejores cosas de la vida es celebrar. Por supuesto, todos los días tenemos mucho por lo que estar agradecidos. Pero a veces es bueno que cantemos un poco más alto, riamos por un poco más de tiempo y abracemos un poco más fuerte.

Mi pueblo estaba muy feliz de volver una vez más a nuestro hogar. Setenta años es mucho tiempo para estar lejos de casa. Sabíamos que este era un momento especial en nuestra historia.

Sin embargo, lo más importante de nuestra celebración es que esta se centró en Dios. Le agradecimos, lo adoramos y lo honramos con todo lo que teníamos. Dios nos había mostrado Su amor nuevamente.

Ponte en mi lugar. ¿Cómo crees que nos sentimos al volver a casa después de estar fuera por mucho, mucho tiempo? ¿Qué es lo primero que tú harías? ¿Cómo le agradecerías a Dios?

ESDRAS

Cara a cara con la Muralla

NEHEMÍAS 3–4; 6

POR
NEHEMÍAS

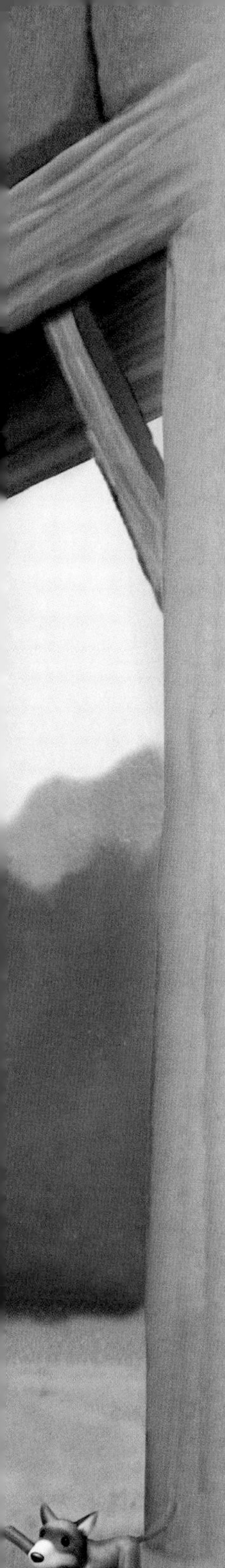

HABÍAMOS regresado a Jerusalén. Habíamos reconstruido el templo de Dios. Ahora llegó el momento de proteger nuestro hogar.

Las ciudades de nuestro tiempo necesitaban murallas para protegernos de nuestros enemigos. Desafortunadamente, teníamos muchos enemigos. Afortunadamente, Dios no era uno de ellos. Dios era nuestro amigo.

Hacía mucho tiempo que habían quemado y destruido la muralla alrededor de Jerusalén. Así que colocamos diferentes grupos de personas a trabajar en secciones de la muralla y en sus puertas. Era una GRAN OBRA.

No era fácil. Y a nuestros enemigos no les gustó. De hecho, ¡se enfurecieron! Se burlaban de nosotros, diciendo cosas como: «¡Esa muralla se vendría abajo si tan siquiera un zorro caminara sobre ella!».

Las cosas se pusieron tan mal que coloqué guardias armados a lo largo de la muralla donde la gente trabajaba. Si alguien atacaba, estaríamos listos.

Pero incluso con guardias por todos lados, yo oraba que Dios nos protegiera.

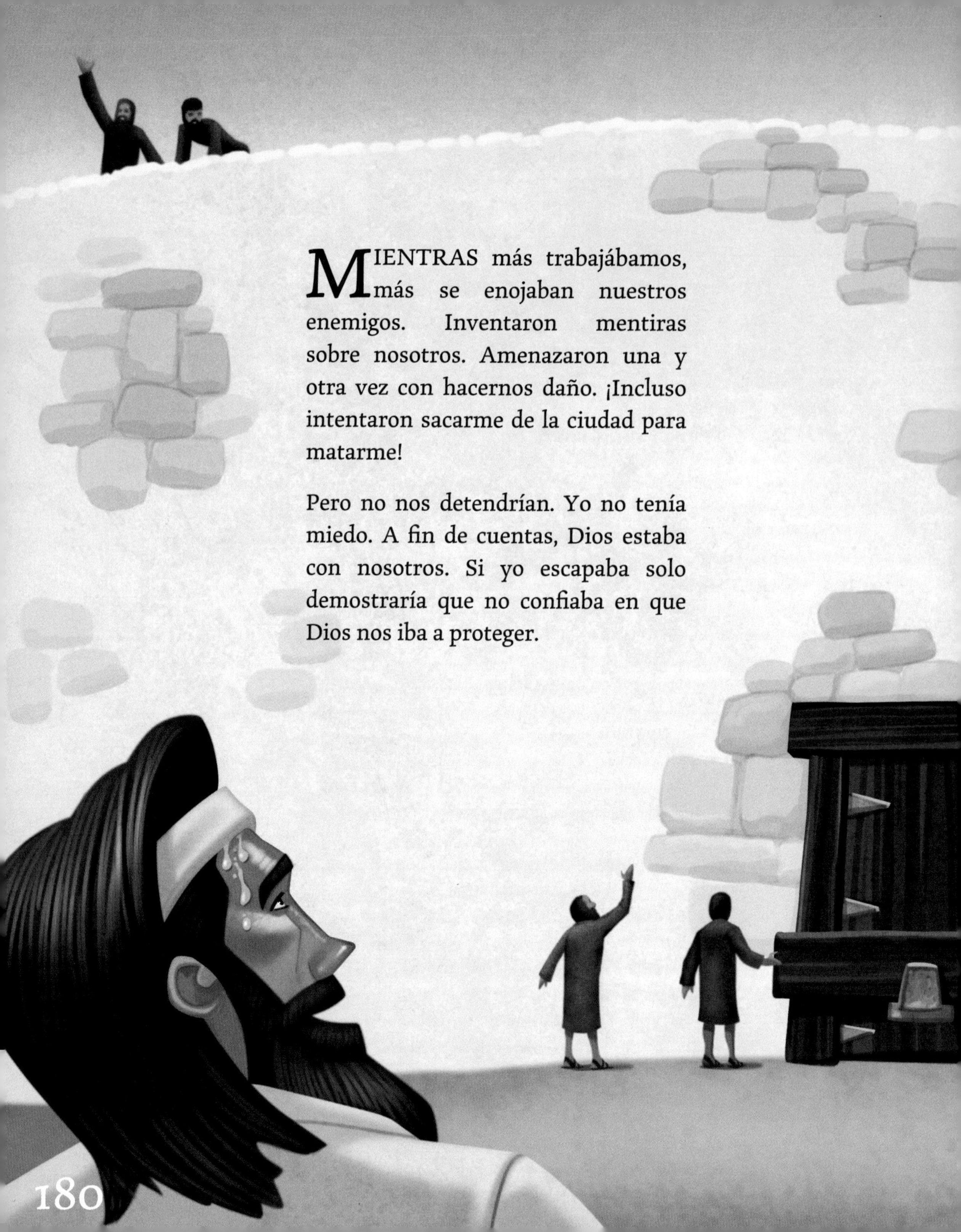

MIENTRAS más trabajábamos, más se enojaban nuestros enemigos. Inventaron mentiras sobre nosotros. Amenazaron una y otra vez con hacernos daño. ¡Incluso intentaron sacarme de la ciudad para matarme!

Pero no nos detendrían. Yo no tenía miedo. A fin de cuentas, Dios estaba con nosotros. Si yo escapaba solo demostraría que no confiaba en que Dios nos iba a proteger.

En lugar de ceder ante nuestros enemigos, seguimos trabajando. Nos mantuvimos fieles a Dios; ladrillo a ladrillo, viga a viga, clavo a clavo.

Dios no solo nos protegió, sino que también nos ayudó a trabajar rápido. Terminamos esa muralla en solo cincuenta y dos días. Imagínate eso: la muralla entera reconstruida alrededor de toda la ciudad de Jerusalén en menos de dos meses. ¡Gracias a Dios!

Ahora nuestros enemigos ya no estaban enojados, ¡estaban asustados! Pudieron ver que Dios estaba con nosotros.

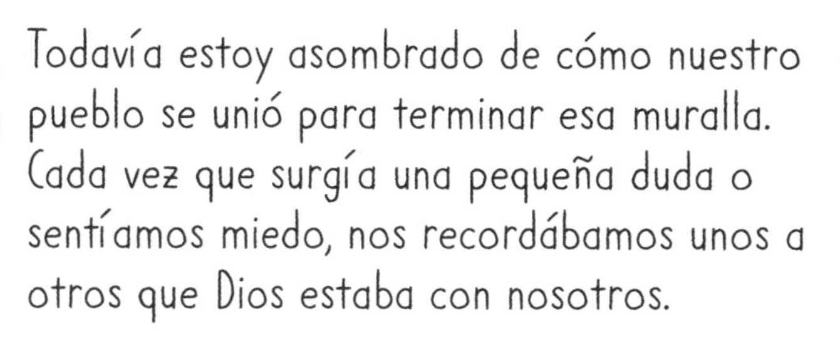

Todavía estoy asombrado de cómo nuestro pueblo se unió para terminar esa muralla. Cada vez que surgía una pequeña duda o sentíamos miedo, nos recordábamos unos a otros que Dios estaba con nosotros.

Cuando sabes que Dios está de tu lado, puedes hacer mucho. No tienes que sentir miedo ni huir porque Dios está contigo en cada paso del camino.

Dicen que el tiempo vuela cuando la estás pasando bien. Yo no diría que construir la muralla fue «divertido», pero el tiempo sí pasó volando porque estábamos enfocados en Dios.

Prueba mi lección. Haz hoy tu mayor esfuerzo por estar centrado en Dios. Hay muchas cosas que nos pueden distraer, pero a cada rato tómate un minuto para recordar que Dios siempre está contigo. Él es un amigo leal que nunca te dejará.

NEHEMÍAS

Para un Momento como Este

Por Ester

ESTER 5:1–8; 8:1–17

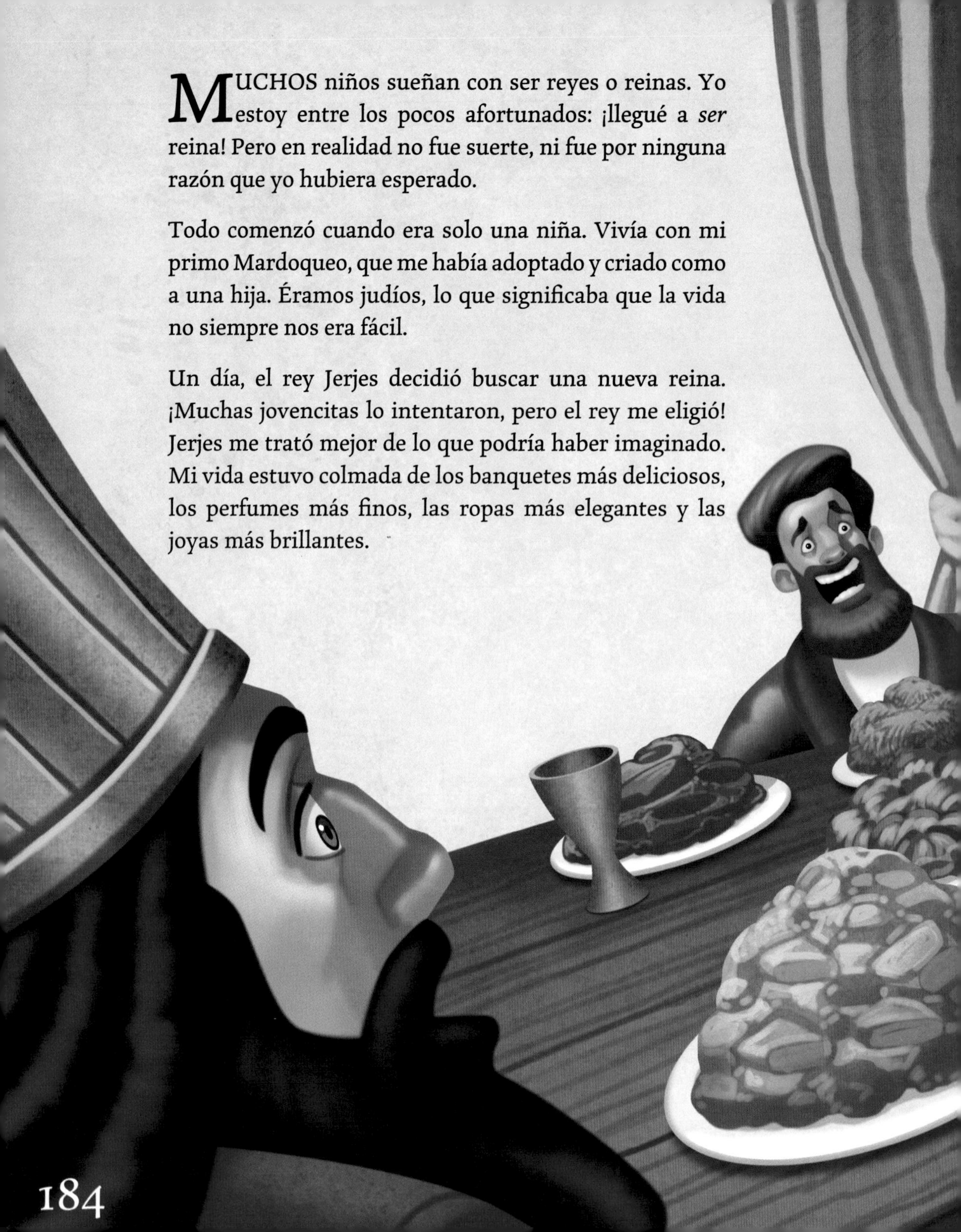

MUCHOS niños sueñan con ser reyes o reinas. Yo estoy entre los pocos afortunados: ¡llegué a *ser* reina! Pero en realidad no fue suerte, ni fue por ninguna razón que yo hubiera esperado.

Todo comenzó cuando era solo una niña. Vivía con mi primo Mardoqueo, que me había adoptado y criado como a una hija. Éramos judíos, lo que significaba que la vida no siempre nos era fácil.

Un día, el rey Jerjes decidió buscar una nueva reina. ¡Muchas jovencitas lo intentaron, pero el rey me eligió! Jerjes me trató mejor de lo que podría haber imaginado. Mi vida estuvo colmada de los banquetes más deliciosos, los perfumes más finos, las ropas más elegantes y las joyas más brillantes.

Pero hubo algunos problemas. No le dije al rey que yo era judía porque Mardoqueo me advirtió que lo mantuviera en secreto. Además de eso, Amán, quien era la mano derecha del rey Jerjes, odiaba a mi primo Mardoqueo porque este se negaba a inclinarse ante él. Entonces ese sinvergüenza de Amán planeó un complot para conseguir con engaño que el rey ordenara que todos los judíos fueran asesinados.

Hasta el último de nosotros; incluyéndome a mí.

Mardoqueo me dijo que hablara con Jerjes de inmediato y le rogara por los judíos. Pero era peligroso. Me podían matar. Sin embargo, si no lo intentaba, entonces todos los judíos, mi pueblo, morirían con seguridad.

¡Estaba tan asustada! No sabía qué hacer. Pero Mardoqueo me ayudó a decidirme. Él expresó: «¿Quién sabe si no llegaste a ser reina precisamente para un momento como este?».

Eso era lo único que necesitaba escuchar. Tenía que intentarlo.

INVITÉ a Jerjes y a Amán a un banquete de lujo. Amán pensó que ser invitado a cenar con el rey y la reina era un gran honor. Ni se imaginaba lo que estaba por suceder.

Al comienzo de la cena, el rey me preguntó qué deseaba.

—¡Te daré cualquier cosa —dijo—, ¡incluso la mitad de mi reino!

—Solo tengo una petición —le respondí—. ¿Por favor, nos librarías de la muerte, a mí y a mi pueblo, los judíos? Alguien ha pagado para que nos maten a todos.

Jerjes se puso rojo de ira.

—¿Quién haría algo tan terrible como eso? —preguntó—. ¿Quién se atrevería a hacerle daño a la reina?

Señalé a Amán.

—*Él es* nuestro enemigo, mi rey —le dije.

Antes del anochecer, Amán estaba muerto.

No solo mi pueblo estaba a salvo, sino que el rey también puso a Mardoqueo como su nueva mano derecha. Jerjes le dio un traje real, y una corona de oro, y le puso el anillo del rey en el dedo.

Dios se aseguró de hacerme reina en el momento justo. Como Dios nos ama, me puso en el lugar indicado para salvar a Su pueblo del desastre.

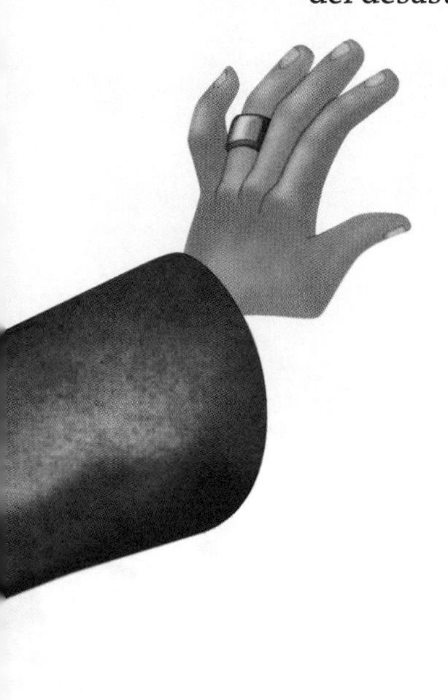

Cuando el rey me escogió para ser su reina, yo no tenía idea de lo que pasaría. Jerjes pensó que yo era hermosa, y realmente le gustaba. De pronto yo vivía en un nuevo y extraño mundo de la realeza, y no estaba segura de qué *me* hacía tan especial.

Pero Dios sabía lo que iba a suceder. Dios me colocó allí por una razón: proteger a Su pueblo.

Eso le pasa mucho a la gente. Se encuentran en situaciones en las que no se sienten cómodas, o donde sienten que no encajan, o donde no tienen idea de lo que está sucediendo. Pero Dios siempre conoce nuestro futuro. Él nos pone en los lugares que sabe que debemos estar.

¿Quién sabe lo que Dios puede tener reservado para *ti*? Tú también puedes tener la oportunidad de hacer algo especial.

ESTER

Peor, imposible

JOB 1–2; 40; 42

POR JOB

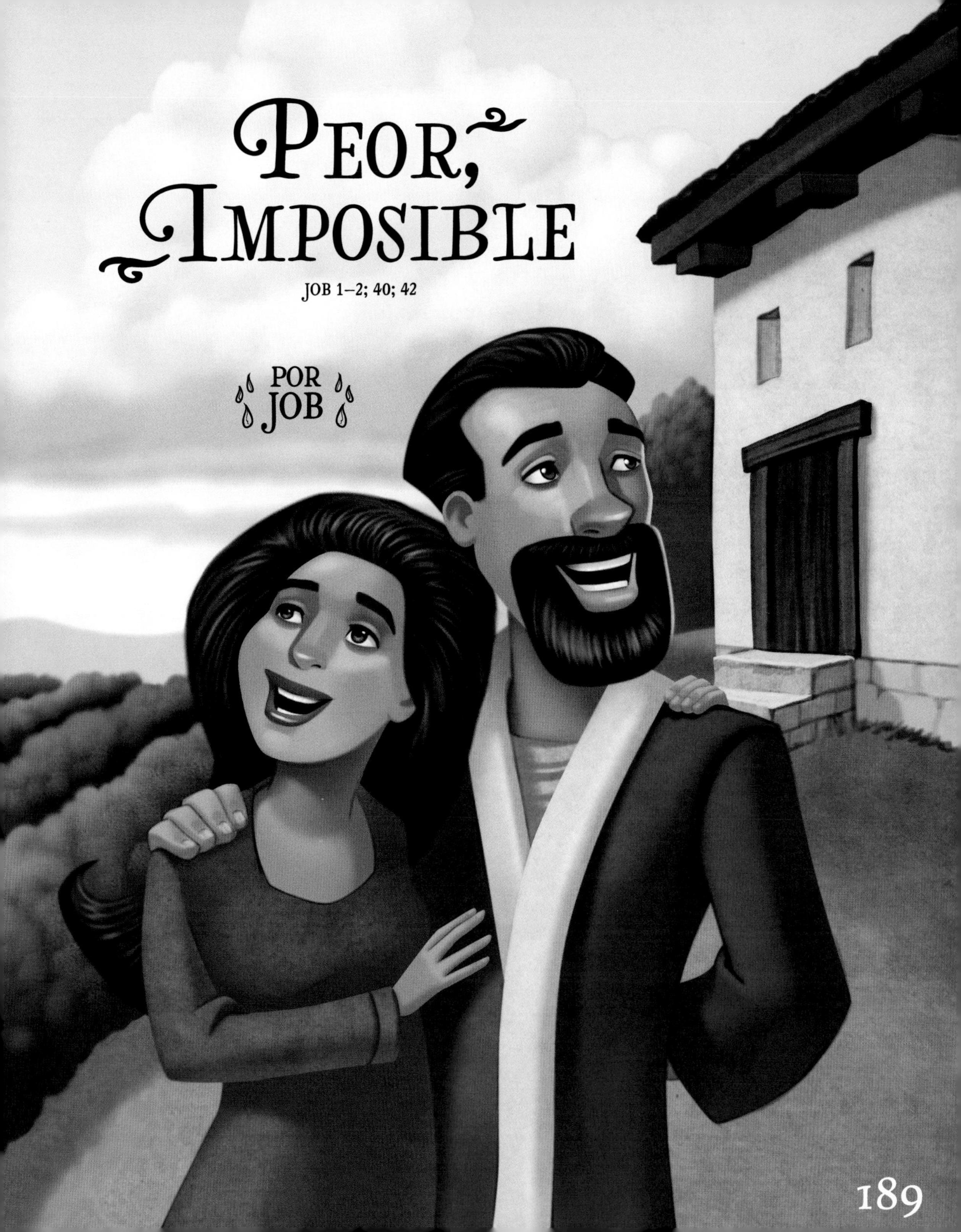

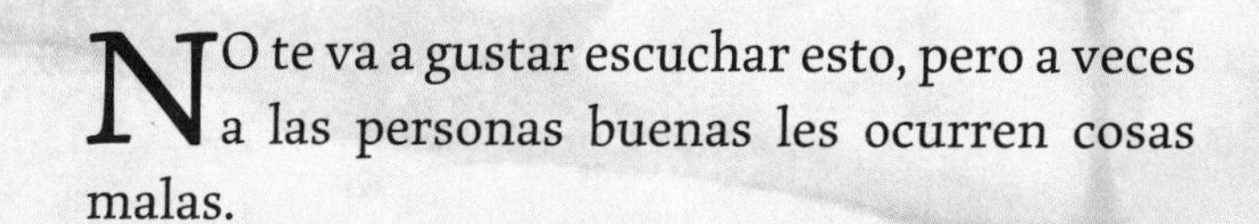

NO te va a gustar escuchar esto, pero a veces a las personas buenas les ocurren cosas malas.

Lo sé por experiencia. Tenía todo lo que un hombre podría desear: una familia grande y feliz; una hacienda enorme con miles de animales; y muchos sirvientes. Yo era el hombre más rico de la región. En verdad Dios me había bendecido.

No solo eso, sino que hice todo lo posible por ser un buen hombre. Respetaba a Dios y me mantenía alejado del mal.

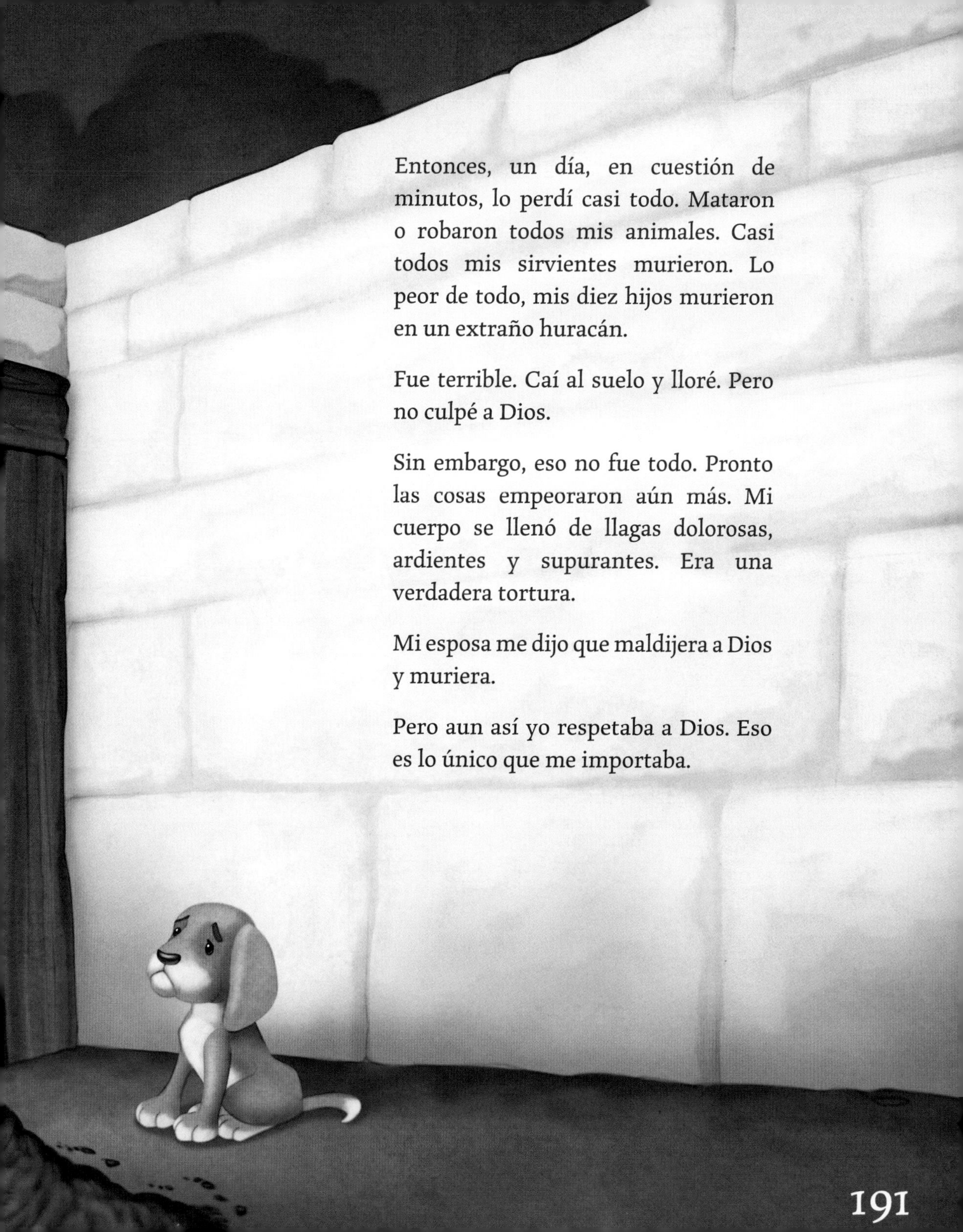

Entonces, un día, en cuestión de minutos, lo perdí casi todo. Mataron o robaron todos mis animales. Casi todos mis sirvientes murieron. Lo peor de todo, mis diez hijos murieron en un extraño huracán.

Fue terrible. Caí al suelo y lloré. Pero no culpé a Dios.

Sin embargo, eso no fue todo. Pronto las cosas empeoraron aún más. Mi cuerpo se llenó de llagas dolorosas, ardientes y supurantes. Era una verdadera tortura.

Mi esposa me dijo que maldijera a Dios y muriera.

Pero aun así yo respetaba a Dios. Eso es lo único que me importaba.

ALGUNOS amigos vinieron a visitarme. Durante toda una semana, yo estuve demasiado molesto para decir una sola palabra. Luego empezamos a hablar. Discutimos durante horas, incluso días. Al principio intentaron consolarme. Después me dijeron que yo debía haber hecho algo malo para que todas estas cosas horribles me sucedieran.

Si hubiera hecho algo malo, yo quería saberlo para arrepentirme. Pero en el fondo, sabía que no me castigaban. Estaba sufriendo porque… el sufrimiento les llega a todos. Es parte de la vida. ¿Por qué es así? No puedo dar una respuesta.

Un ser humano como yo realmente no puede entenderlo. Solo Dios sabe todas las respuestas.

Dios me amaba, tanto en todo lo bueno como en todo lo malo. Y yo lo amaba a Él.

Después de eso, Dios sanó mi cuerpo, y también me devolvió la fortuna: ¡el doble de lo que tenía antes! Incluso me dio diez hijos más, y fueron los regalos más bellos del mundo.

En general, ha sido una vida grandiosa. Y le doy a Dios TODO el reconocimiento.

Dudo que lo que me pasó te suceda a ti alguna vez. Perder casi todo en la vida es más difícil de lo que puedes imaginar.

Pero algo es seguro: de vez en cuando a tu vida llegarán cosas malas. Cuando esto suceda, no culpes a Dios. Él sigue siendo tu amigo. En cambio, agradece a Dios por todo lo bueno que todavía hay en tu vida. Siempre hay algo bueno. Siempre.

¿Qué ha sido lo más difícil que has tenido que pasar? Quizás alguien en tu familia se enfermó. Quizás tuviste que mudarte. Quizás perdiste algo que significaba mucho para ti.

En este momento, piensa en cinco cosas en tu vida por las que das gracias a Dios. Si piensas bien, ¡probablemente encuentres cien cosas! Recuerda, siempre hay algo por lo que estar agradecido.

JOB

Como Un Pastor

SALMO 23

Por David

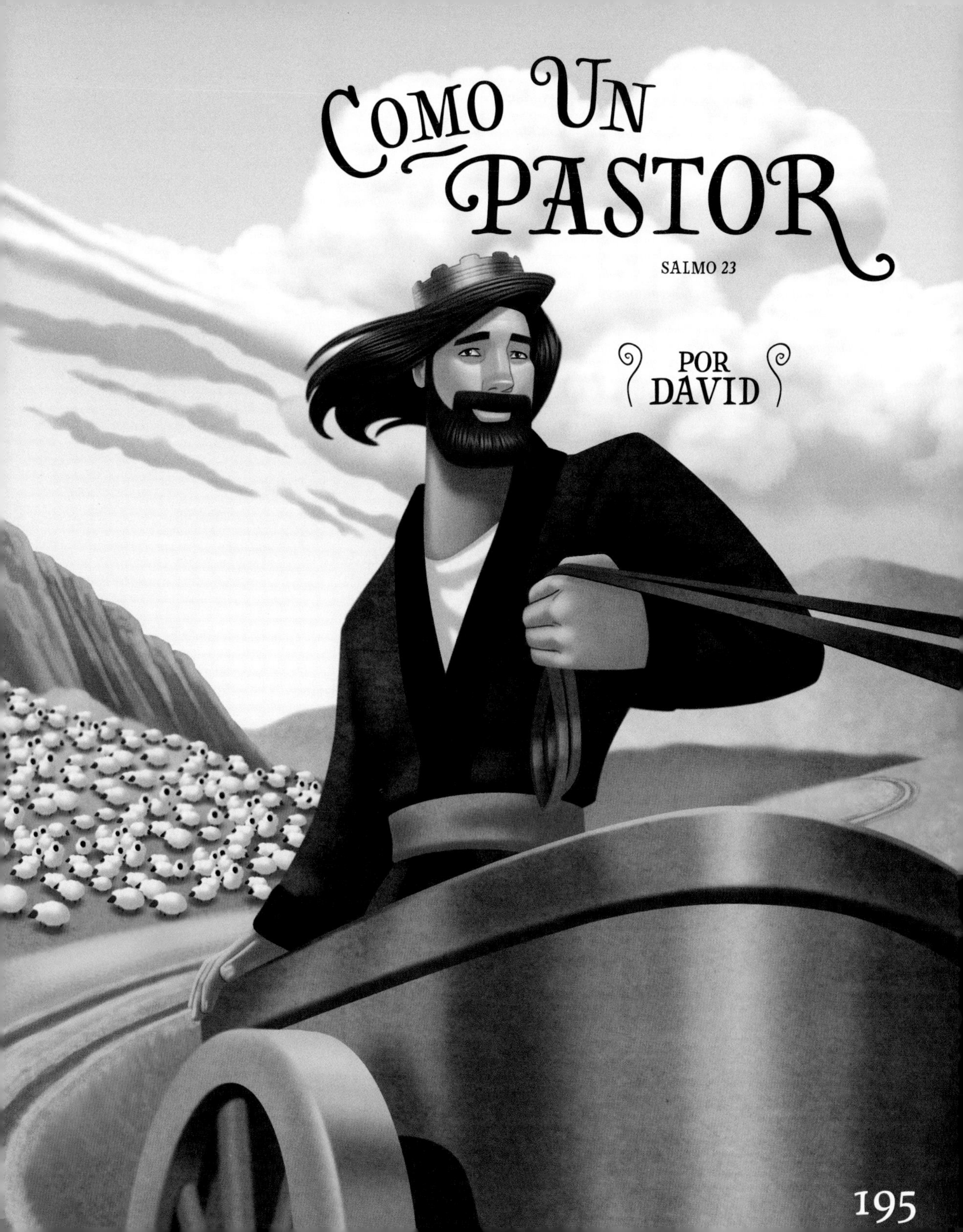

DIOS es como un pastor, y yo soy como Su oveja.

Dios me da lo que necesito y me lleva a los mejores lugares, como prados verdes y arroyos tranquilos.

Dios me hace fuerte y me señala la dirección correcta.

Dios se queda a mi lado, así que nunca tengo miedo, aun cuando las cosas dan miedo.

Dios me mantiene sano y salvo.

Dios me cuida cuando otros quieren dañarme.

Dios me bendice mucho más de lo que merezco.

El amor de Dios irá conmigo dondequiera que vaya, por el resto de mi vida.

Ser una de las ovejas de Dios parece maravilloso, ¿verdad? No puedo imaginar nada mejor. ¡Dios lo hace todo!

Antes de ser rey, fui pastor. Cuidé a mis ovejas lo mejor que pude. ¡Incluso luché contra leones y osos para protegerlas!

Sin embargo, Dios es un pastor mil veces mejor que yo. Él es más fuerte, más sabio y más grande que cualquier cosa o persona que conozcamos.

¿Hay algo en *tu* vida que te preocupe ahora? Deja que Dios sea tu pastor. Pídele ahora mismo que se encargue de todas tus preocupaciones. Él lo hará. ¡Dios te ama!

DAVID

Tú eres el Indicado

JEREMÍAS 1:4–19

POR JEREMÍAS

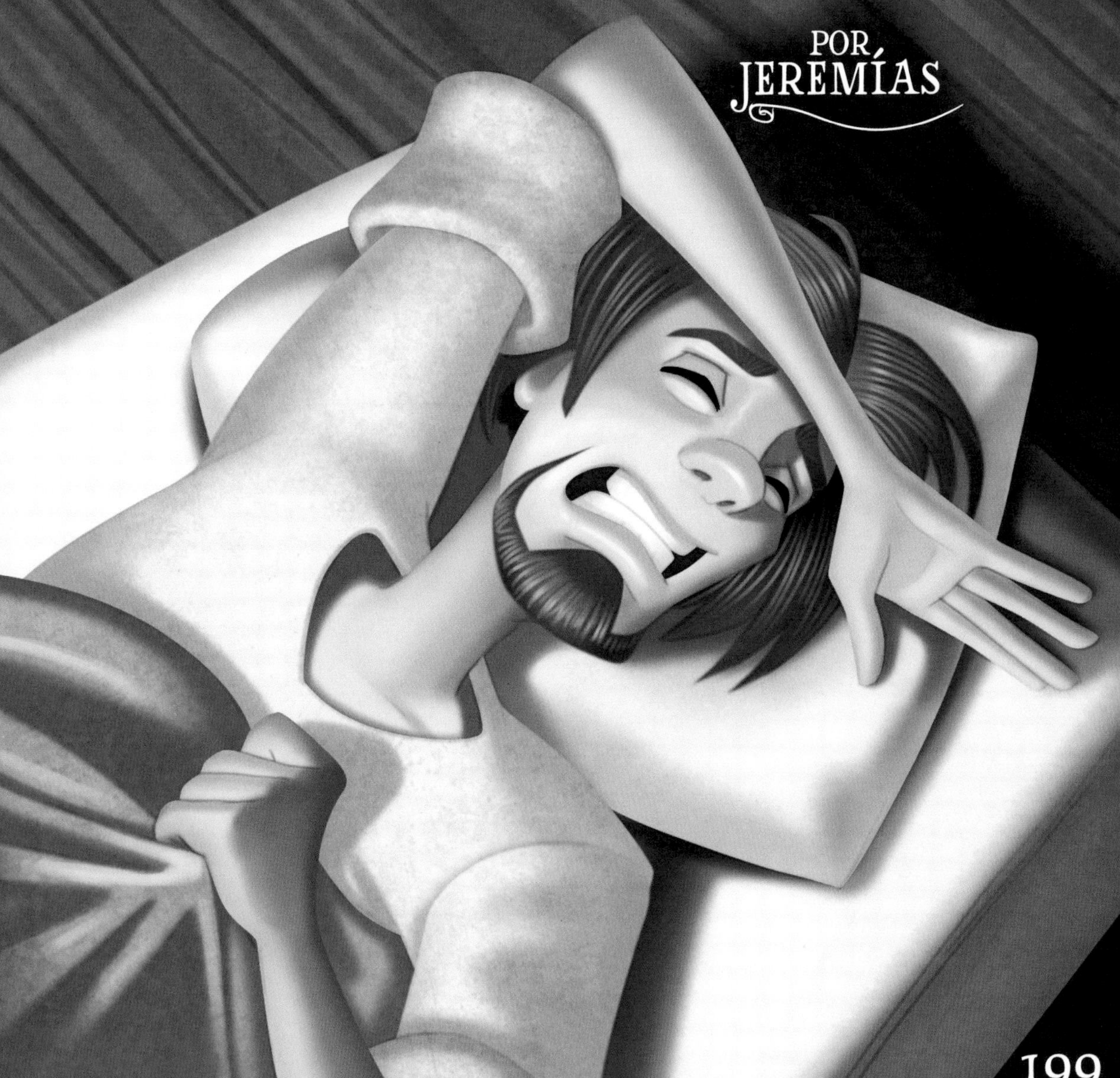

TENGO una tarea difícil. Tengo que decirle a la gente cosas que no desean oír.

Para ser sincero, sé cómo se sienten. Incluso *yo* no quería escuchar sobre mi tarea cuando Dios me lo dijo por primera vez.

«Soy demasiado joven para una tarea así», le dije a Dios.

Pero, como siempre, Él sabía lo que hacía. Dios dijo que, desde antes de que yo naciera, Él tenía planes especiales para mi vida. Dios quería que yo fuera profeta.

Eso significaba que tenía que ir adonde Dios me dijera que fuera, y decir lo que Dios quería que dijera.

Una de las formas en que Dios me habla es a través de las visiones. En una ocasión, Él me mostró una rama de almendro. La palabra hebrea para *almendro* suena como la palabra que significa «vigilando». Entonces la rama de almendro me recuerda que Dios siempre me está vigilando.

¡Dios me conoce al derecho y al revés!

OTRA imagen que Dios me dio fue la del agua hirviendo derramándose de una olla. Significaba que se avecinaban grandes problemas para el pueblo de Israel por haberle dado la espalda a Dios.

Los israelitas no estaban muy contentos con esa noticia. ¡No les gustaba estar con el agua al cuello! Pero tenía que contárselos de todas formas. Era mi tarea.

A veces Dios me pide que ayude a reconstruir y mejorar las cosas. Pero a veces Dios quiere que diga cosas que son difíciles de aceptar para la gente. ¡Derribar y comenzar de nuevo es difícil!

Sin embargo, Dios me da fuerzas. «¡No tengas miedo!», me dice una y otra vez. Aunque al principio yo no estaba muy seguro de mí mismo, Dios sabía que podía hacerlo.

¡Dios es un amigo que me conoce mejor que yo mismo!

Cuando era niño, nunca soñé con ser profeta. Los profetas suelen ser bastante mal vistos. Es decir, ¿quién quiere ser portador de malas noticias todo el tiempo?

Sin embargo, Dios me hizo para eso. Él sabía que yo sería la persona más indicada para esa tarea y, como siempre, Dios tenía razón.

¡Dios también te hizo para algo especial! Quizás aún no sepas qué cosa es. Está bien. Dios sabe quién eres realmente, y Él tiene un plan para tu vida.

¿En qué eres *tú* realmente bueno? ¿Cómo puedes honrar a Dios con ese talento especial?

JEREMÍAS

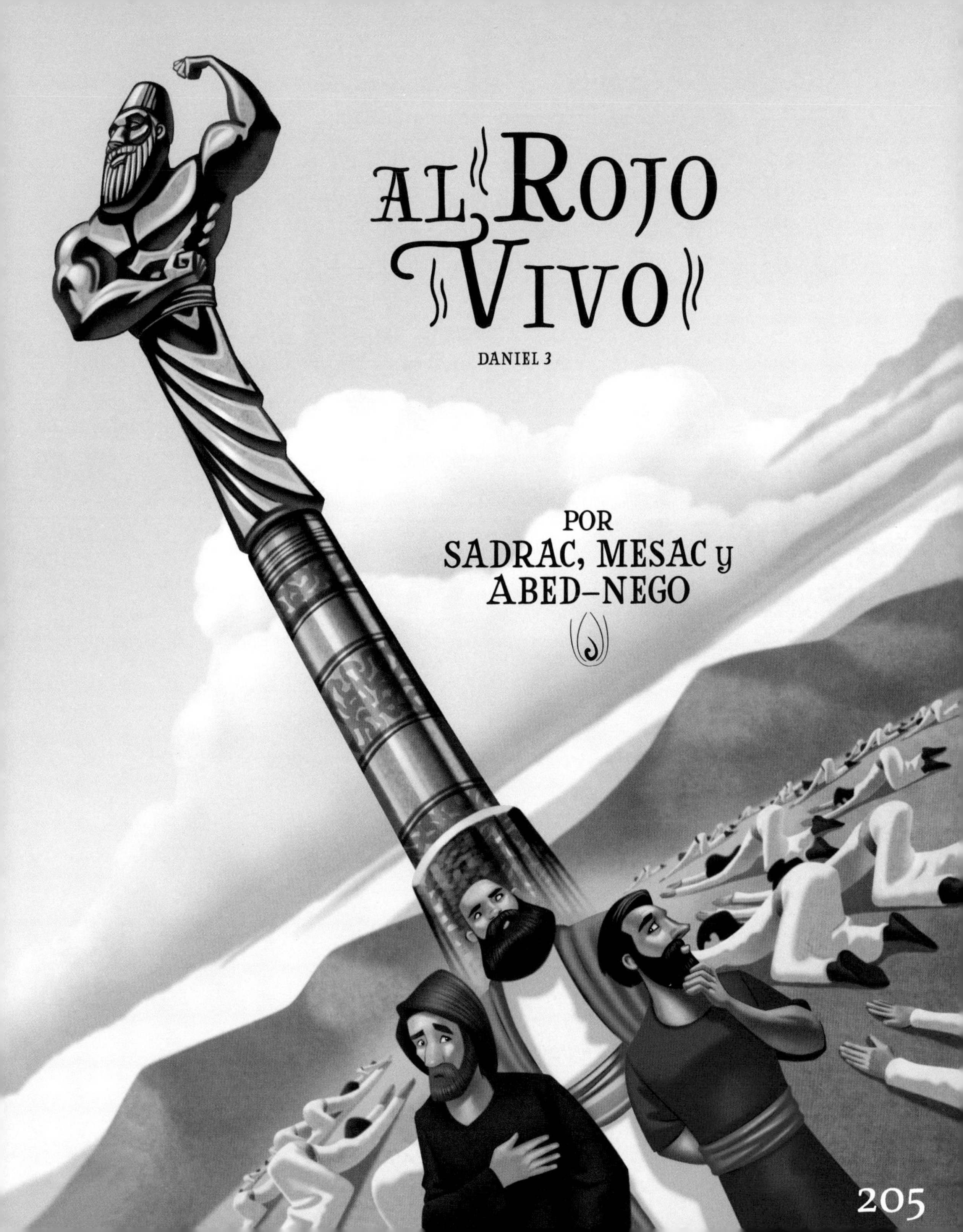
AL ROJO VIVO
DANIEL 3
POR
SADRAC, MESAC y
ABED-NEGO

SABES, hay momentos en que todo el mundo está haciendo algo popular; excepto tú.

Bueno, esos éramos mis dos amigos y yo. El rey Nabucodonosor había construido esa gigantesca estatua de oro, de sí mismo, y exigía que todos se inclinaran ante ella. En serio, era enorme: ¡noventa pies de altura (veintisiete metros)! Cada vez que se escuchaba la música del rey, Nabucodonosor quería que toda persona dejara de hacer lo que estaba haciendo y adorara a su ídolo.

Pero nosotros no. Adoramos a Dios, y *solo* a Dios.

Esto molestó muchísimo a Nabucodonosor quien nos ordenó entrar al salón del trono y nos dio una oportunidad más de inclinarnos ante su estatua de oro. Si nos negábamos, nos arrojaría a su horno de fuego.

«¡Nunca!», dijimos.

El rey hirvió de rabia. Ordenó calentar su horno siete veces más de lo habitual. Luego gritó: «¡ARRÓJENLOS DENTRO!».

EL fuego estaba tan caliente que incluso mató a los guardias que nos arrojaron.

Las llamas se arremolinaban y centelleaban a nuestro alrededor. Pero mantuvimos la calma. Sabíamos que Dios podría salvarnos. E incluso si no lo hacía, estábamos convencidos de que habíamos hecho lo correcto.

Cuando Nabucodonosor miró dentro del horno, no podía creer lo que veía. No solo estábamos vivos, sino que también había un cuarto hombre con nosotros. ¡Dios había enviado a un ángel para que nos acompañara!

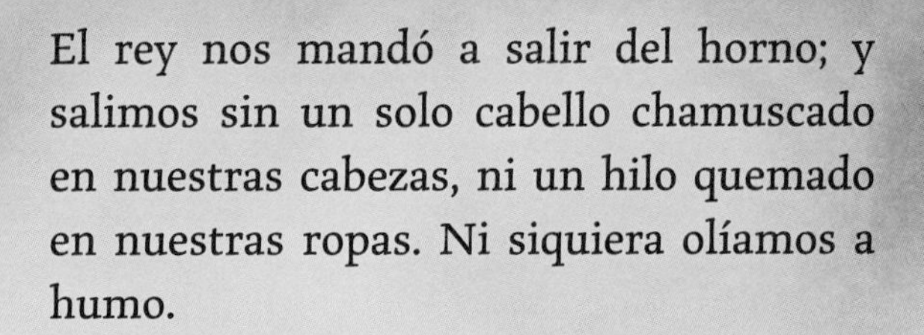

El rey nos mandó a salir del horno; y salimos sin un solo cabello chamuscado en nuestras cabezas, ni un hilo quemado en nuestras ropas. Ni siquiera olíamos a humo.

Nabucodonosor no tenía opción. Después de lo que acababa de ver, *tuvo* que alabar a nuestro Dios. Ahora el corazón del rey ardía por el único Dios verdadero. «¡Alabado sea el Dios de Sadrac, Mesac y Abed-nego!», exclamó.

El rey estaba tan impresionado que de hecho nos promovió a puestos aún más altos en su reino. Y nuestro amor por Dios ardía tan brillante como siempre.

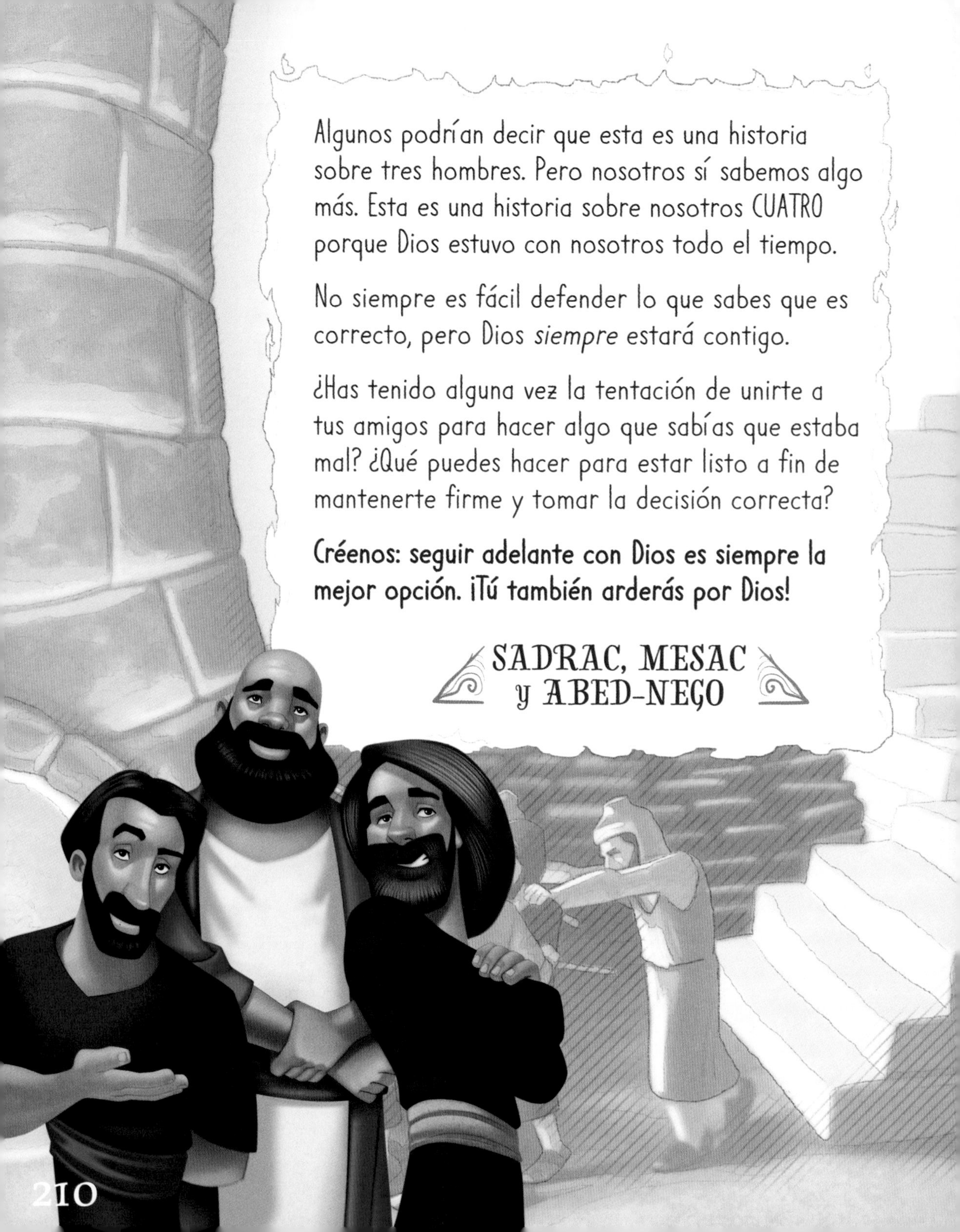

Algunos podrían decir que esta es una historia sobre tres hombres. Pero nosotros sí sabemos algo más. Esta es una historia sobre nosotros CUATRO porque Dios estuvo con nosotros todo el tiempo.

No siempre es fácil defender lo que sabes que es correcto, pero Dios *siempre* estará contigo.

¿Has tenido alguna vez la tentación de unirte a tus amigos para hacer algo que sabías que estaba mal? ¿Qué puedes hacer para estar listo a fin de mantenerte firme y tomar la decisión correcta?

Créenos: seguir adelante con Dios es siempre la mejor opción. ¡Tú también arderás por Dios!

SADRAC, MESAC y ABED-NEGO

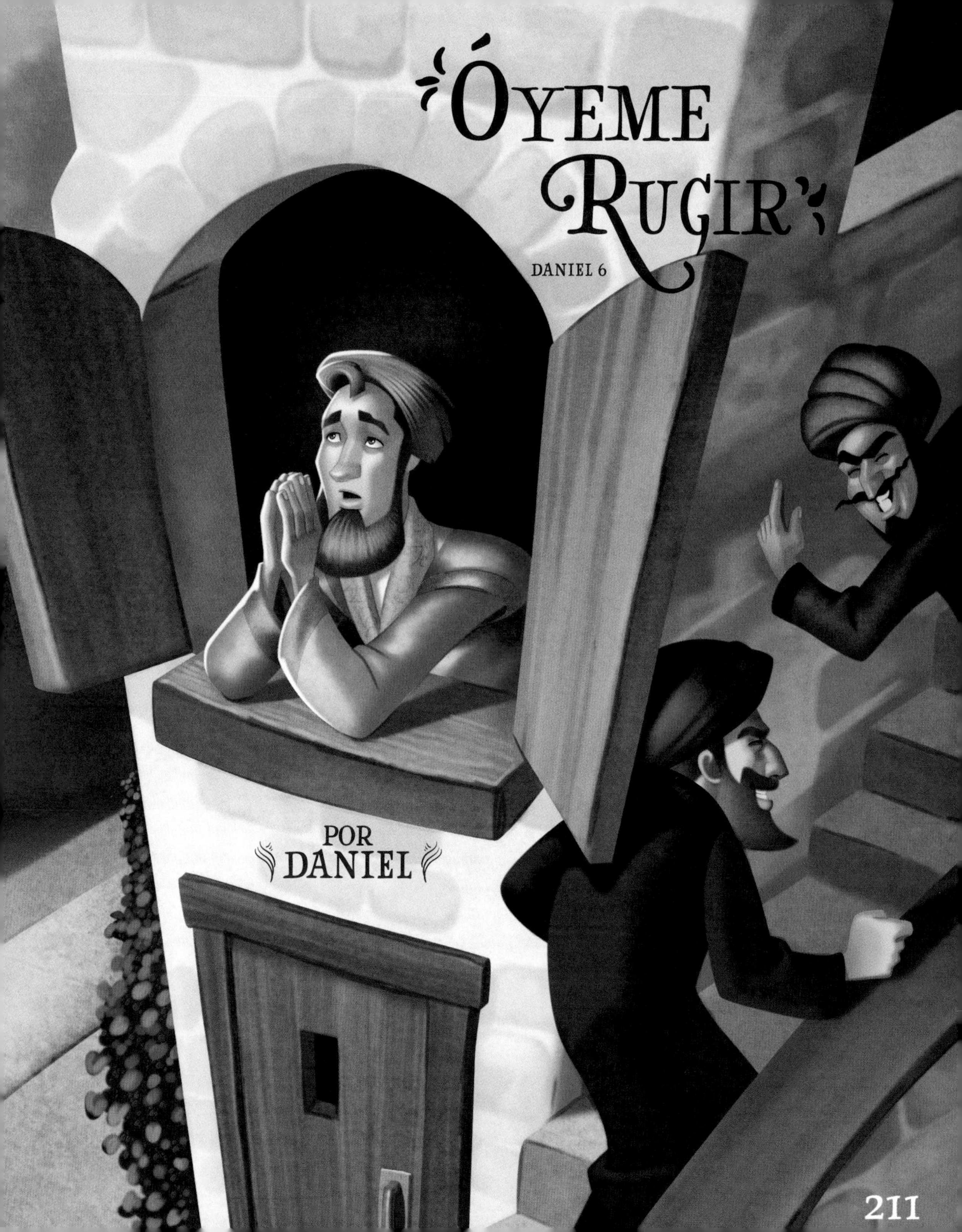
¡ÓYEME RUGIR!
DANIEL 6
POR
DANIEL

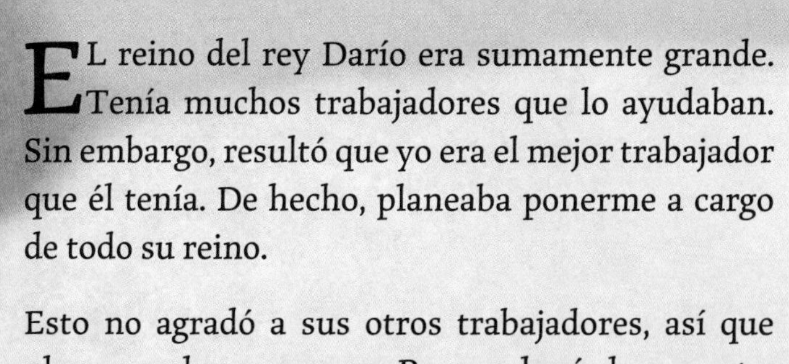

EL reino del rey Darío era sumamente grande. Tenía muchos trabajadores que lo ayudaban. Sin embargo, resultó que yo era el mejor trabajador que él tenía. De hecho, planeaba ponerme a cargo de todo su reino.

Esto no agradó a sus otros trabajadores, así que planearon hacerme caer. Pero yo hacía lo correcto. No pudieron encontrar nada malo en mí. Por eso era el favorito de Darío.

Entonces eligieron aquello que sabían que yo nunca le daría la espalda: mi fe en Dios. Engañaron a Darío para que firmara una ley que expresara que la gente solo podía orar al rey. Si oraban a alguien más, ¡los arrojarían al foso de los leones como comida para gatos!

Entonces los trabajadores engañosos me espiaron. Sin importar lo que dijera la ley, yo oraba a Dios tres veces al día, mirando por mi ventana hacia Jerusalén.

¡Ajá! ¡Lo tenemos!, pensaron. Entonces me delataron ante Darío de inmediato. El rey se angustió profundamente. Después de todo, yo le caía muy bien. ¡Era su favorito!

Pero el rey Darío no tenía otra opción. La ley era la ley. Tendría que echarme al foso de los leones.

Cuando me bajaron al foso, los leones se veían hambrientos. Se paseaban de un lado a otro, babeando y listos para abalanzarse sobre su próxima cena: ¡YO! El rey no podía hacer otra cosa que menear la cabeza. «Espero que tu Dios pueda rescatarte», me dijo.

Luego sellaron el foso.

DARÍO pasó el resto de la noche sin comer. No pudo dormir ni un minuto. Estaba realmente muy preocupado por mí.

A primera hora de la mañana, el rey corrió tan rápido como pudo hasta el foso. Abrió la puerta y gritó: —¡Daniel! ¿Estás bien? ¿Pudo tu Dios salvarte?

—¡Qué viva el rey! —exclamé—. Estoy a salvo. Dios cerró la boca de los leones porque Él sabe que soy inocente.

¡El rey estaba emocionado!

—¡SÍ! —gritó Darío, e hizo que me sacaran de inmediato.

El rey Darío arrestó a mis acusadores y los arrojó a ELLOS al foso. Los leones finalmente tuvieron su cena.

El rey Darío estaba tan asombrado de que sobreviviera que decidió adorar a mi Dios también. Incluso envió un mensaje a todos en su reino, alabando a Dios y dándole toda la gloria por Su amor y Su poder.

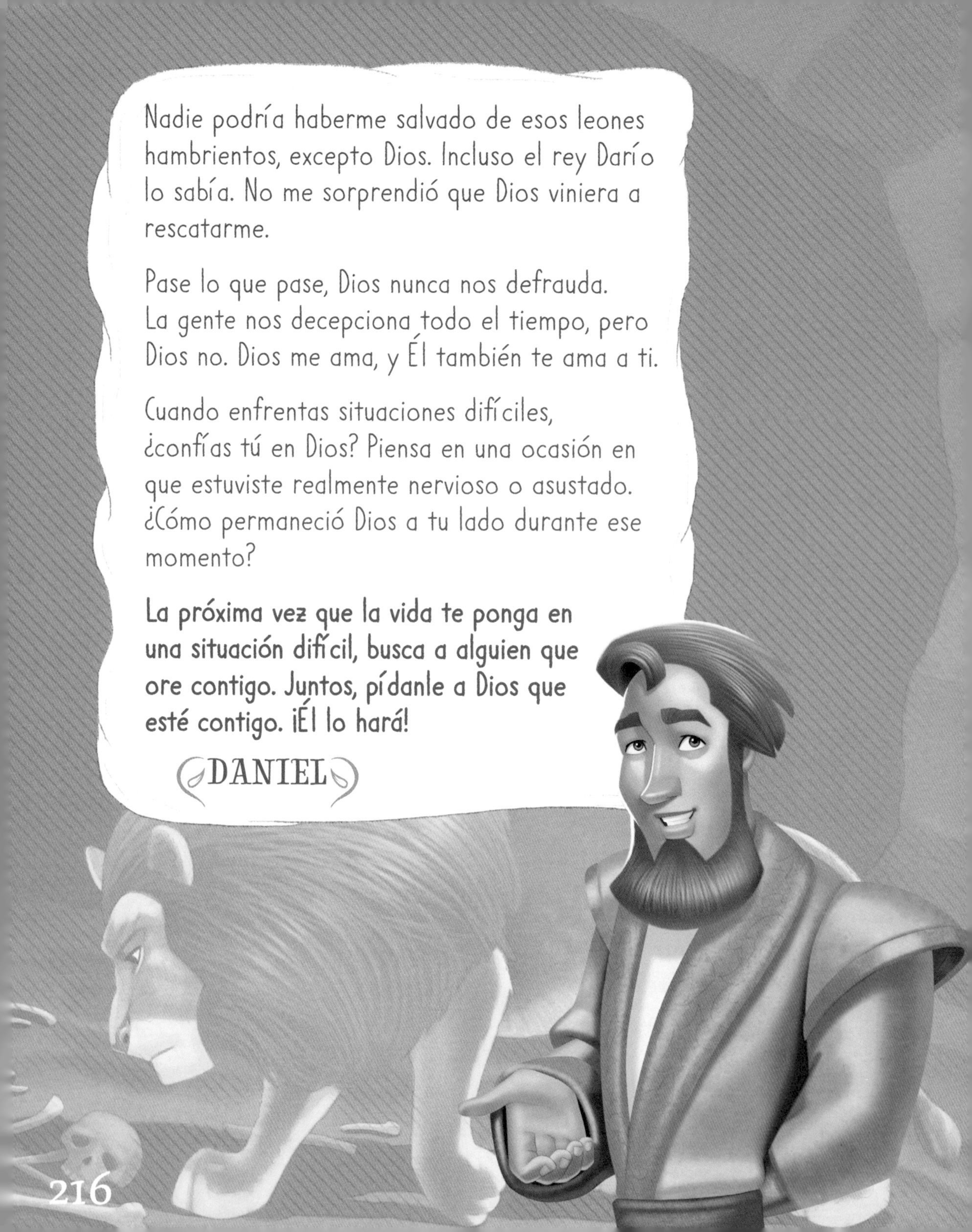

Nadie podría haberme salvado de esos leones hambrientos, excepto Dios. Incluso el rey Darío lo sabía. No me sorprendió que Dios viniera a rescatarme.

Pase lo que pase, Dios nunca nos defrauda. La gente nos decepciona todo el tiempo, pero Dios no. Dios me ama, y Él también te ama a ti.

Cuando enfrentas situaciones difíciles, ¿confías tú en Dios? Piensa en una ocasión en que estuviste realmente nervioso o asustado. ¿Cómo permaneció Dios a tu lado durante ese momento?

La próxima vez que la vida te ponga en una situación difícil, busca a alguien que ore contigo. Juntos, pídanle a Dios que esté contigo. ¡Él lo hará!

DANIEL

CON EL AGUA
MÁS ALLÁ
DEL CUELLO
JONÁS 1–4
POR
JONÁS

SI Dios no diera segundas oportunidades, ahora mismo no te estaría contando esta historia; sino que todavía fuera comida para peces. Pero me estoy adelantando.

Como yo era profeta, tenía que decirle a la gente cosas que Dios quería que escucharan. Y por lo general no eran cosas buenas. La gente de la gran ciudad de Nínive era mala. Muy mala. Realmente cruel, si somos honestos. Y Dios quería que *yo* fuera a decirles que los iba a castigar severamente.

¿YO? ¡No puede ser! ¡De ninguna manera! Después de todo, cuando Dios anuncia Su juicio, las personas dicen que se arrepienten y comienzan a hacer lo correcto nuevamente. Y ni siquiera los castigan. ¡No es justo! Además, la gente de Nínive era mala. ¡Y quiero decir *mala*!

Entonces me subí a un barco, y me dirigí en la dirección contraria.

Pero entonces se formó una gran tormenta (y estoy bastante seguro de que Dios la trajo). El viento, la lluvia y las olas se hicieron cada vez más peligrosas. El barco se hundiría en cualquier momento. Y aunque no lo creas, yo estaba profundamente dormido abajo. (¡Huir de Dios es muy agotador!) El capitán me despertó, y cuando vi la tormenta tuve la sensación de que nos hundíamos.

La tripulación del barco se dio cuenta de que la tormenta era culpa MÍA, porque habían escuchado que yo huía de Dios. Les dije que me lanzaran por la borda, pero no quisieron. Sin embargo, cuando la tormenta se intensificó aún más, ellos tomaron la decisión.

Me lanzaron al mar. «Uno... dos... tres... ¡ahora!».

¡Ay!

TAN pronto como golpeé el agua, la tormenta se detuvo. Pensé que estaba perdido. Empecé a hundirme. Abajo... abajo... abajo... Las algas se enredaban en mis brazos y piernas. Vi cómo mis últimas burbujas de aire se alejaban de mí. De repente, Dios envió un gran pez para tragarme.

Allí estaba yo, en el vientre de un pez gigante y apestoso. ¡Puaj! Era hora de reconsiderar mi vida.

Lo único que pude hacer fue orar. Había tratado de huir de Dios, pero Él me persiguió y me salvó la vida. Me dio más de lo que merecía. Le prometí a Dios que la próxima vez haría lo que Él me pidiera.

Dios me dio una segunda oportunidad. Era justo que Él también le diera a Nínive una segunda oportunidad.

Tres días después, ese pez me escupió en la playa. ¡Buaa! Esta vez hice lo que Él me mandó y fui directamente a Nínive. Le di al pueblo el mensaje de Dios: que el juicio de Dios destruiría pronto su ciudad.

¿Y adivinas qué pasó? ¡Se apartaron de las cosas malas que estaban haciendo! Todas y cada una de esas personas en la horrible Nínive le dijeron a Dios que estaban arrepentidas, incluso el propio rey. Y luego Dios cambió de idea y decidió NO destruir su ciudad.

Eso me enfureció. Esa gente malvada de Nínive me caía mal, y esperaba que Dios los castigara. Salí de la ciudad y me senté bajo un pequeño refugio, bien furioso. Hacía calor afuera, y yo tenía calor por dentro. Pero Dios hizo que una planta frondosa extendiera sus anchas hojas sobre el refugio para que yo tuviera algo de sombra fresca. Estaba agradecido por la planta. Pero al día siguiente Dios dejó que un gusano se comiera la planta, la cual se marchitó y murió. ¡Me puse muy furioso de nuevo!

Una vez más, Dios me regañó. «Oye, Jonás, no te sientas mal por una planta muerta. ¡Ten compasión por los miles de personas en Nínive que podrían haber muerto!».

Es bueno que Dios sea más misericordioso que yo. Es decir, si fuera por mí, simplemente dejaría que las personas malas reciban su merecido.

Afortunadamente para todos nosotros, Dios no piensa de esa manera. Él está listo para mostrar compasión y misericordia a todos nosotros, incluso cuando no lo merecemos. *Especialmente* cuando no lo merecemos.

A veces me resulta difícil aprender mis lecciones. ¡Espero que tú seas más rápido que yo para aprender! No lo dudes: sigue el ejemplo de Dios y muestra amor a las personas que conoces. A toda la gente.

¿A quién conoces que ahora mismo necesita del amor de Dios en su vida? Intenta decirle algo agradable a esa persona.

JONÁS

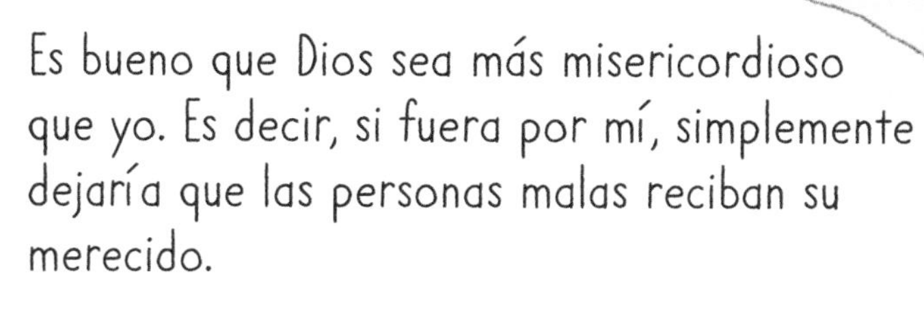

Justo en Nuestro Sitio

LUCAS 2:1–20

POR LOS PASTORES

NO somos más que pastores. Claro, el rey David fue pastor una vez, pero nunca seremos reyes como él. Somos pobres. Sucios. Un poco malolientes. No nos invitan a fiestas. En verdad no somos muy especiales.

Pero una noche —una noche espectacular— pudimos ver lo más asombroso que jamás haya sucedido.

Habíamos estado observando a muchas familias que viajaban de pueblo en pueblo, y las ciudades estaban repletas. El emperador estaba haciendo un censo, y todas las personas tenían que ir a sus pueblos para ser contadas.

Nosotros no. Mientras la gente pasaba, ni siquiera nos miraban. Éramos solo parte del paisaje.

Pero esta noche fue diferente. Un ángel salió de la nada, justo frente a nosotros. Resplandecía en una luz brillante. ¡Estábamos aterrorizados!

«No tengan miedo —dijo el ángel—. Tengo buenas noticias para ustedes, ¡y que harán muy feliz a mucha gente!».

El ángel nos dijo (sí, a nosotros, un bando de pastores pobres y desconocidos) que un bebé muy especial había nacido en Belén, el pueblo que estaba al bajar la colina. ¡Era Jesús, el Mesías mismo, el Señor! El ángel incluso nos explicó dónde encontrarlo.

Entonces, de repente, los ángeles nos rodearon; ¡había ángeles por todas partes, alabando a Dios! «Gloria a Dios en el cielo más alto, y paz en la tierra para aquellos en quienes Dios se complace», cantaban. Contuvimos el aliento y nos deleitamos en silencio con todo esto. Luego, de pronto desaparecieron.

NOS miramos boquiabiertos. «¡Vamos a Belén!», dijimos todos al mismo tiempo.

Bajamos la colina corriendo tan rápido como pudimos. Encontrar un bebé en un pesebre no debería ser demasiado difícil, ¿verdad? Después de todo, somos expertos con los animales.

Afortunadamente, encontramos al pequeño bebé de inmediato, tal como el ángel dijo que lo hallaríamos. Era tan lindo, bien envuelto en una manta y acostado en un pesebre lleno de paja. Sus padres parecían cansados, pero orgullosos.

Luego alabamos a Dios, al igual que los ángeles.

Cuando nos fuimos, ¡nuestros corazones estaban llenos de gozo! El nacimiento de Jesús significaba buenas noticias. No, ¡MAGNÍFICAS noticias! A todos los que nos encontramos les contamos sobre este nuevo regalo que Dios le había dado al mundo. ¡No podíamos dejar de alabar a Dios!

Y, por primera vez en nuestras vidas, sentimos que éramos importantes.

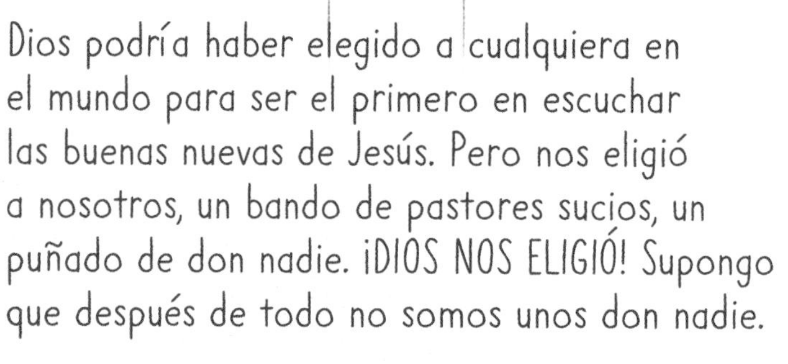

Dios podría haber elegido a cualquiera en el mundo para ser el primero en escuchar las buenas nuevas de Jesús. Pero nos eligió a nosotros, un bando de pastores sucios, un puñado de don nadie. ¡DIOS NOS ELIGIÓ! Supongo que después de todo no somos unos don nadie.

La verdad es que NADIE es un don nadie. Dios nos ama a TODOS. Por eso envió a este bebé especial al mundo. Jesús fue un regalo para cada hombre, mujer y niño, el regalo más preciado que Dios haya entregado.

¿Alguna vez *tú* te has sentido como un don nadie? Si es así, recuerda que Jesús nació por TI. Y Jesús quiere ser tu amigo. De hecho, ahora mismo puedes hablar con Él. Solo ora, y Él te escuchará. ¡Él nació para amarte!

LOS PASTORES

Volar bajo la luz de la luna

MATEO 2:13–23

Por María

SER mamá ha sido una sorpresa tras otra. Todo comenzó cuando Dios me eligió para ser la madre del bebé más importante del mundo. Dios quiso que YO fuera la mamá de Jesús. ¿Puedes creerlo? Me sorprendí. No, ¡me quedé estupefacta!

Y José, el hombre con el que estaba comprometida, también se quedó estupefacto. Ni siquiera estaba seguro de casarse conmigo. Pero Dios le dijo que todo estaba bien: ¡este bebé era de Dios!

Cuando casi era el momento de que naciera nuestro bebé, José y yo tuvimos que emprender un largo viaje. Caminamos por un camino de tierra por kilómetros y kilómetros. Cuando finalmente llegamos a Belén, no pudimos encontrar un lugar para quedarnos, así que tuve a mi dulce bebé en un pesebre sucio y maloliente. No había cama, solo un viejo cajón de madera lleno de paja. Pero cuando miré su carita, nada de eso importó. ¡Él era perfecto!

Me encantaba cuidar al pequeño Jesús. Pero pronto, la vida nos sorprendió aún más.

Algunos sabios de otras tierras vinieron a nuestra casa y le dieron regalos suntuosos a Jesús: oro, incienso y mirra. Pensé que era poco común, pero Jesús no era un hijo común.

Y luego llegó otra sorpresa; y esta fue aterradora. ¡La vida de Jesús estaba en peligro! El rey Herodes había escuchado que había nacido un nuevo rey de los judíos. Y Herodes quería a ese niño muerto. Incluso envió soldados para asesinar a todos los niños menores de dos años. ¡Quería matar a Jesús!

Yo haría cualquier cosa por salvar a mi pequeño hijo. Y Dios también.

DIOS le dijo a José que tomara a Jesús y a mí y nos llevara a Egipto. Entonces, en medio de la noche, con la ayuda de la oscuridad, empacamos nuestras cosas y salimos de la ciudad lo más rápido posible. Yo miraba a cada rato por encima del hombro, con el temor de que los soldados pudieran atraparnos en cualquier momento.

¡Uf! Llegamos hasta Egipto sanos y salvos. Vivimos en Egipto por un tiempo, seguros y lejos de ese terrible Herodes. Más tarde, Dios le habló a José nuevamente en un sueño, y le reveló que Herodes había muerto.

«Es hora de volver a casa», aseguró Dios.

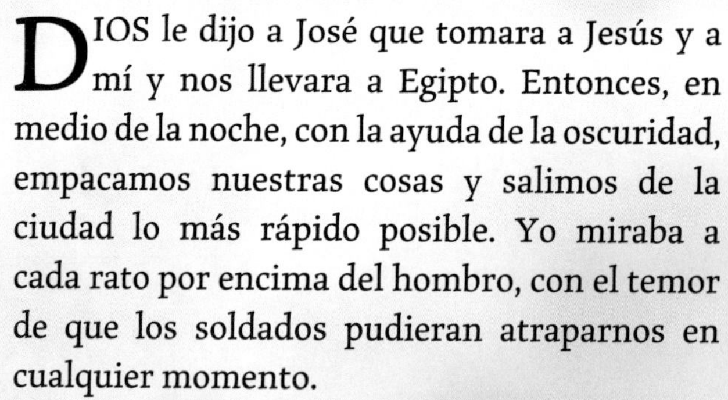

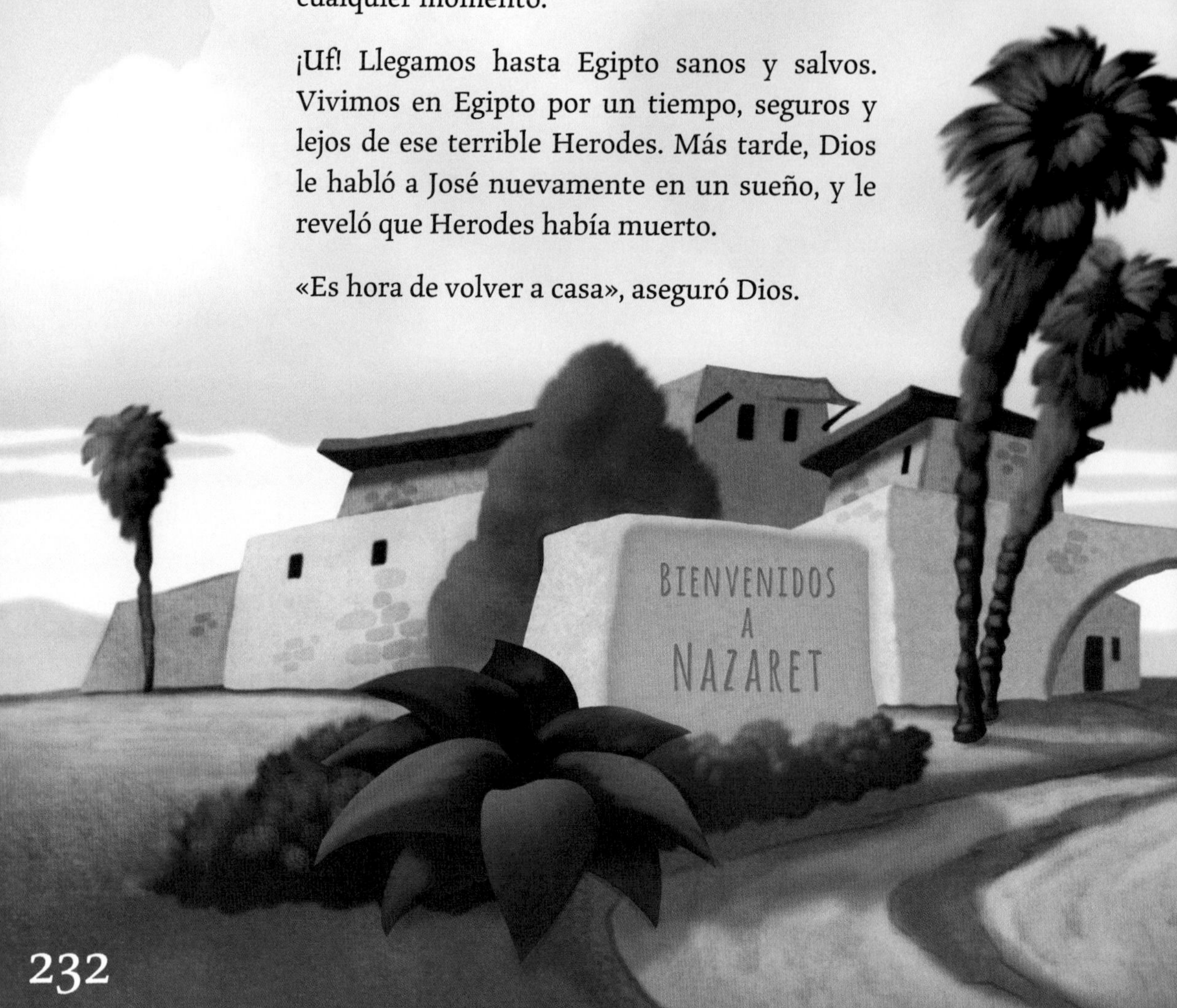

José nos llevó a Jesús y a mí a Israel. Pero en lugar de regresar a Belén, establecimos un nuevo hogar en una ciudad llamada Nazaret. Consideramos que sería un buen lugar para criar a nuestra familia.

Dios siempre nos ha cuidado. Y Dios quería que estuviéramos seguros.

Hasta ahora mi vida ha sido un torbellino. Pero no la cambiaría por nada. Me encanta ser la mamá de Jesús. Y sé que Dios tiene algo especial reservado para Él, algo tan asombroso que será la mayor sorpresa de todos los tiempos.

Ya sabes, a veces el mundo puede ser realmente peligroso. En mi caso, era una cuestión de vida o muerte. Como madre, haré cualquier cosa para proteger a mi hijo.

Afortunadamente, Dios hará lo mismo, pase lo que pase. Huir a Egipto en la oscuridad de la noche no era exactamente lo que habíamos planeado. Pero estuvimos a salvo, que es como Dios quería que estuviéramos.

Dios también quiere mantenerte a salvo.

¿Quién te mantiene a *ti* a salvo? Menciona algunas de las personas que se preocupan por mantenerte alejado del peligro. Luego, da gracias a Dios por cada una de esas personas que te aman tanto como para cuidarte siempre.

MARÍA

AQUÍ VIENE ÉL...
JUAN 1:19–34
POR
JUAN
EL BAUTISTA

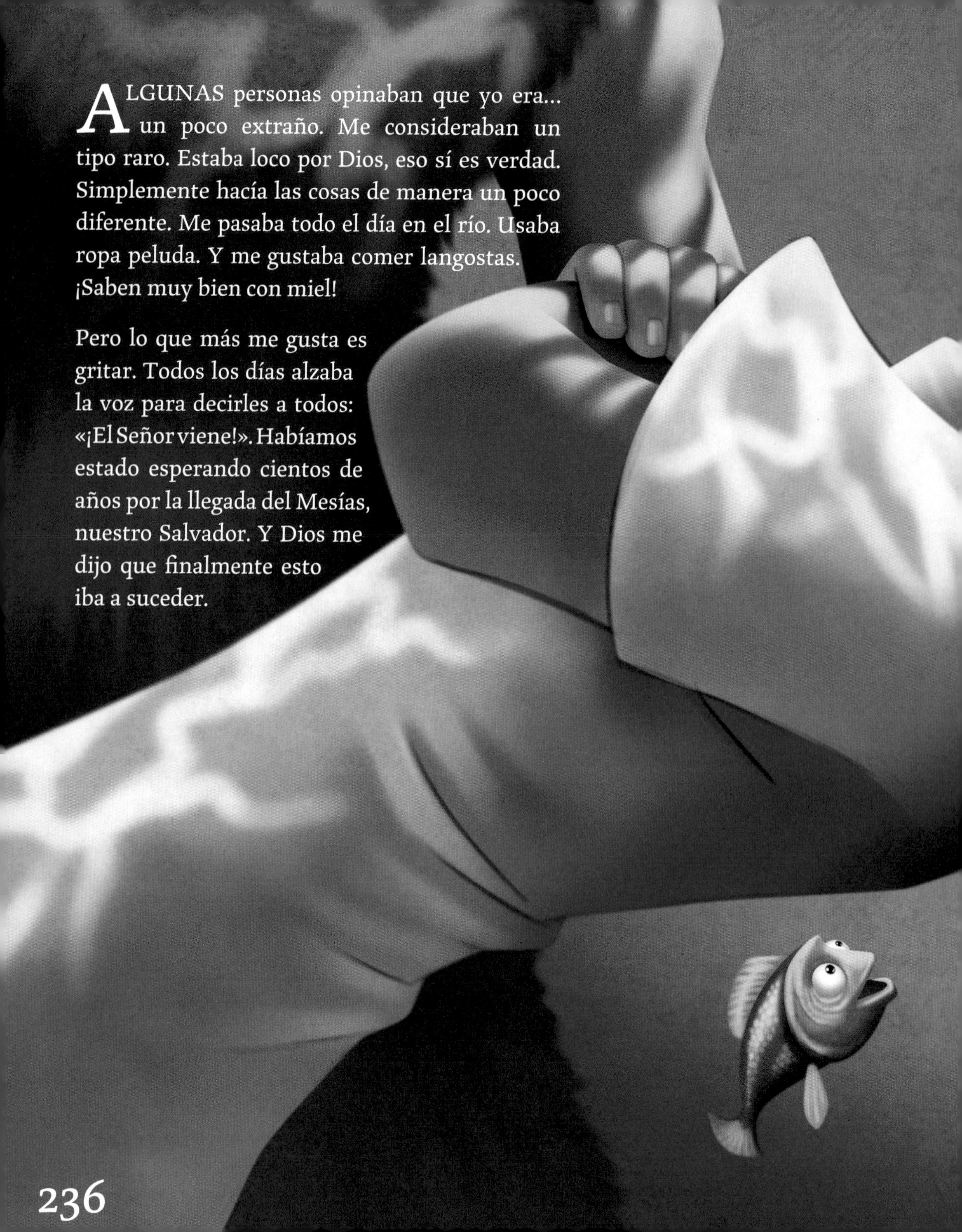

ALGUNAS personas opinaban que yo era... un poco extraño. Me consideraban un tipo raro. Estaba loco por Dios, eso sí es verdad. Simplemente hacía las cosas de manera un poco diferente. Me pasaba todo el día en el río. Usaba ropa peluda. Y me gustaba comer langostas. ¡Saben muy bien con miel!

Pero lo que más me gusta es gritar. Todos los días alzaba la voz para decirles a todos: «¡El Señor viene!». Habíamos estado esperando cientos de años por la llegada del Mesías, nuestro Salvador. Y Dios me dijo que finalmente esto iba a suceder.

Entonces comencé a bautizar a las personas en el río Jordán para prepararlas. (El bautismo es una ceremonia de lavamiento que representa un nuevo comienzo).

Pero algunas personas no estaban muy seguras de mi mensaje, especialmente los líderes religiosos. No estaban seguros de quién era yo ni por qué estaba bautizando a las personas. No me sorprendería si pensaran que estaba loco. Algunos de ellos incluso pensaron que yo podría ser el Mesías.

—No soy el Mesías —les aseguré.

—¿Eres tú Elías o un profeta? —preguntaron.

—No —les respondí—. Solo soy una voz que grita en el desierto: ¡El Señor viene!

SÉ que pensaron que era extraño, pero les dije que el Mesías ya estaba entre nosotros. Reconocí que Él es mucho más importante que yo. «¡Ni siquiera soy lo suficientemente bueno como para desatar las correas de sus sandalias!», dije.

Al siguiente día, finalmente lo vi: al Mesías. ¡Era JESÚS!

«¡Miren! ¡Ahí está! —grité—. ¡El Cordero de Dios que quita el pecado del mundo!».

Supe que era Él porque pude ver al Espíritu Santo descender del cielo y reposar sobre Él, como una paloma. Sucedió tal como Dios me lo indicó.

Dios me dijo algo más. Yo bautizaba a la gente con agua ordinaria. Pero Dios señaló que Jesús bautizaría a las personas con algo extraordinario: el Espíritu Santo. ¡Solo puedo imaginarme las cosas increíbles que sucederán cuando Jesús, el Mesías, el Cordero de Dios, comience a hacer eso!

¡Y yo no estaba loco!

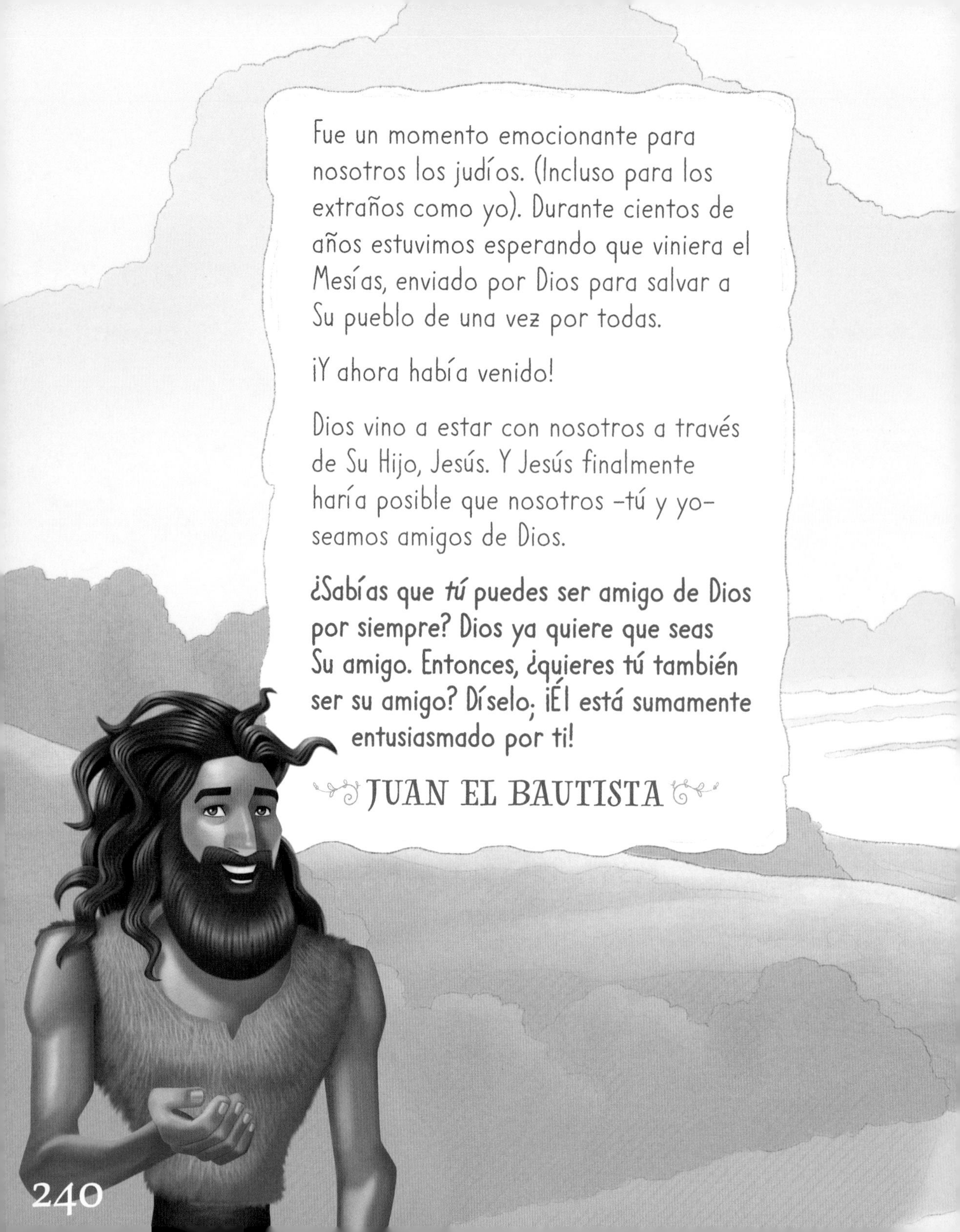

Fue un momento emocionante para nosotros los judíos. (Incluso para los extraños como yo). Durante cientos de años estuvimos esperando que viniera el Mesías, enviado por Dios para salvar a Su pueblo de una vez por todas.

¡Y ahora había venido!

Dios vino a estar con nosotros a través de Su Hijo, Jesús. Y Jesús finalmente haría posible que nosotros –tú y yo– seamos amigos de Dios.

¿Sabías que *tú* puedes ser amigo de Dios por siempre? Dios ya quiere que seas Su amigo. Entonces, ¿quieres tú también ser su amigo? Díselo; ¡Él está sumamente entusiasmado por ti!

JUAN EL BAUTISTA

Pregúntame cualquier cosa

JUAN 3:1–21

POR NICODEMO

SHSH. No se lo digas a nadie; soy un líder religioso. Un fariseo. A pesar de que los fariseos afirmamos que nos dedicamos a servir a Dios, somos un poco altaneros. Demasiado inteligentes para hacer buenas preguntas.

Pero yo no. ¡Soy un tipo curioso! Mis amigos piensan que hago muchas preguntas. Por ejemplo, «¿Por qué pasan cosas malas a las personas buenas?» y «¿Qué sentido tiene la vida?».

Yo sentía una curiosidad especial en cuanto a Jesús, y también tenía algunas preguntas IMPORTANTES que hacerle. Había escuchado sobre las cosas increíbles que hacía, y sabía que Dios lo había enviado a enseñarnos. Pero Jesús expresó algunas cosas extrañas que no entendía.

Así que, una noche, después que oscureció, tuve una idea. No quería que nadie me pillara hablando con Jesús, por lo que me fui escondido con el fin de encontrarlo.

—¿A qué te refieres cuando dices que para estar en el reino de Dios tenemos que «nacer de nuevo»? —le pregunté a Jesús. No lo entendía—. Sé que es imposible que un hombre regrese al vientre de su madre.

—Me refiero a tu vida espiritual —me contestó Jesús—. Solo el Espíritu de Dios puede hacerte nacer espiritualmente.

—Eso todavía no tiene mucho sentido —dije, meneando la cabeza.

—El Espíritu de Dios es como el viento. No puedes saber de dónde viene ni a dónde va. Pero eso no significa que no esté soplando —comentó Jesús.

¿Eh? Me quedé pensativo.

TENÍA más preguntas para Jesús, y Él no sentía temor de responderlas todas.

—Estoy confundido. Estás enseñando cosas que nunca antes había escuchado. No tiene sentido para mí —dije.

¿Y sabes qué? Jesús no se enojó. Fue paciente conmigo.

—Puedo contarte lo que he visto con mis propios ojos, pero aun así no me creerás. Si ni siquiera puedes creer cosas sencillas como estas, ¿cómo vas a creerme cuando te cuente cosas que no puedes ver, como las cosas de Dios?

Yo quería entenderlo, de verdad.

—Explícamelo una vez más.

Entonces Jesús me miró a los ojos y dijo: —Todo se resume en esto: Dios amó tanto al mundo que envió a Su Hijo para salvarlo. Si la gente cree eso, vivirán para siempre. El Hijo de Dios no está aquí para juzgar al mundo; Él vino para liberarlo.

Guau. Esas fueron las mejores respuestas que he escuchado.

Ese Jesús es un hombre inteligente. Mucho más inteligente que yo, si soy sincero al respecto. Él habla de Dios de maneras totalmente nuevas. Maneras en las que nunca he pensado.

Estaba confundido porque yo era un maestro con experiencia, estancado en mis viejos métodos. Jesús habló sobre el amor de Dios como si fuera algo real, como si yo pudiera tener una amistad cercana con Dios. Los fariseos nunca lo consideramos de esa manera. Parecía extraño.

Espero que no te parezca extraño. Jesús sabía de lo que estaba hablando. Y mucha gente le creyó. ¿Y sabes qué? Todos parecían más felices y gozaban de mayor paz. Eso es algo que también yo deseo.

¿Has tenido *tú* alguna vez problemas para entender algo? Cuando estamos confundidos, siempre es buena idea hablar con alguien. No tengas miedo de hacer preguntas. ¡Las preguntas son maravillosas! Acércate a tus padres u otro adulto en quien confíes y hazles esa pregunta que te ha estado inquietando.

NICODEMO

Hagan lo que Yo hago

MATEO 10

POR MATEO

ME encanta nuestro equipo. Somos doce: Pedro, Andrés, Santiago, y Juan (los hermanos), Felipe, Bartolomé, Tomás, Santiago, Tadeo, Simón (el zelote), Judas Iscariote y yo, Mateo. Somos la tripulación de Jesús, Sus discípulos. Sí, ¡un equipo!

Habíamos estado siguiendo a Jesús por bastante tiempo, y lo habíamos visto hacer cosas que nos hicieron exclamar «GUAU», cosas como curar enfermedades terribles, hacer que los ciegos vean, resucitar muertos, ayudar a caminar a las personas lisiadas; todo tipo de milagros.

Pero ahora Jesús quería que dejáramos de mirar y empezáramos a hacer. Jesús nos pidió (a nosotros Sus doce discípulos, Sus amigos más íntimos, Su equipo) que hiciéramos lo mismo que Él.

¡Vaya! Ahora, por el poder de Jesús, nosotros también haríamos milagros, ¡hasta resucitar muertos! Estaríamos cambiando vidas por todas partes. Haríamos sonreír a innumerables rostros. Íbamos a ser las principales figuras de Jesús y Sus animadores al mismo tiempo.

«¡El reino de los cielos está cerca!», gritábamos a todos los que escuchaban.

NO iba a ser fácil. Teníamos un equipo magnífico, pero también teníamos oponentes. Enemigos. Jesús nos advirtió que seríamos golpeados, arrestados, rechazados y odiados. Pero Jesús también dijo que incluso cuando esas cosas sucedieran, sería otra oportunidad para contarle a la gente sobre Él.

Seríamos como ovejas entre lobos, pero valdría la pena.

Para hacer las cosas aún más difíciles, tampoco se nos permitió llevar dinero. Jesús nos indicó que dejáramos todas nuestras cosas en casa. Tendríamos que confiar en Él, y descansar en la amabilidad de los demás para comer, dormir y hallar refugio cuando lo necesitáramos.

Parece difícil, ¿verdad? ¡Pero estábamos emocionados! No nos preocupamos porque sabíamos que Dios nos estaba cuidando.

Jesús nos dijo algo que tenía mucho sentido: «Si Dios cuida a los pajaritos, entonces, por supuesto, Él también se ocupará de ti. Dios conoce cada detalle que te sucede. ¡Él podría decirte cuántos pelos tienes en la cabeza!».

¿Y sabes qué? Dios siempre nos cuidó, a Su equipo.

Algunas personas dicen: «¡Ustedes renunciaron a su vida por este Jesús!». Es cierto; le entregamos todo.

Jesús desea que todos nosotros lo amemos más que a nada. Eso parece bastante difícil; sin embargo, no significa que no podamos amar más nada. De hecho, cuanto más amamos a Jesús, más podemos amar a las otras personas.

¿Y tú? ¿Quieres unirte a nuestro equipo? ¡Puedes hacerlo!

Estar en el equipo de Jesús significa seguirlo. Y hay muchas cosas que *tú* puedes hacer por Jesús. Por un lado, sé generoso y amable con los demás. Jesús aseguró que cuando mostramos amor a otras personas, lo amamos a Él también.

MATEO

No puedes comprar por siempre

MATEO 19:16–30

POR
EL HOMBRE RICO

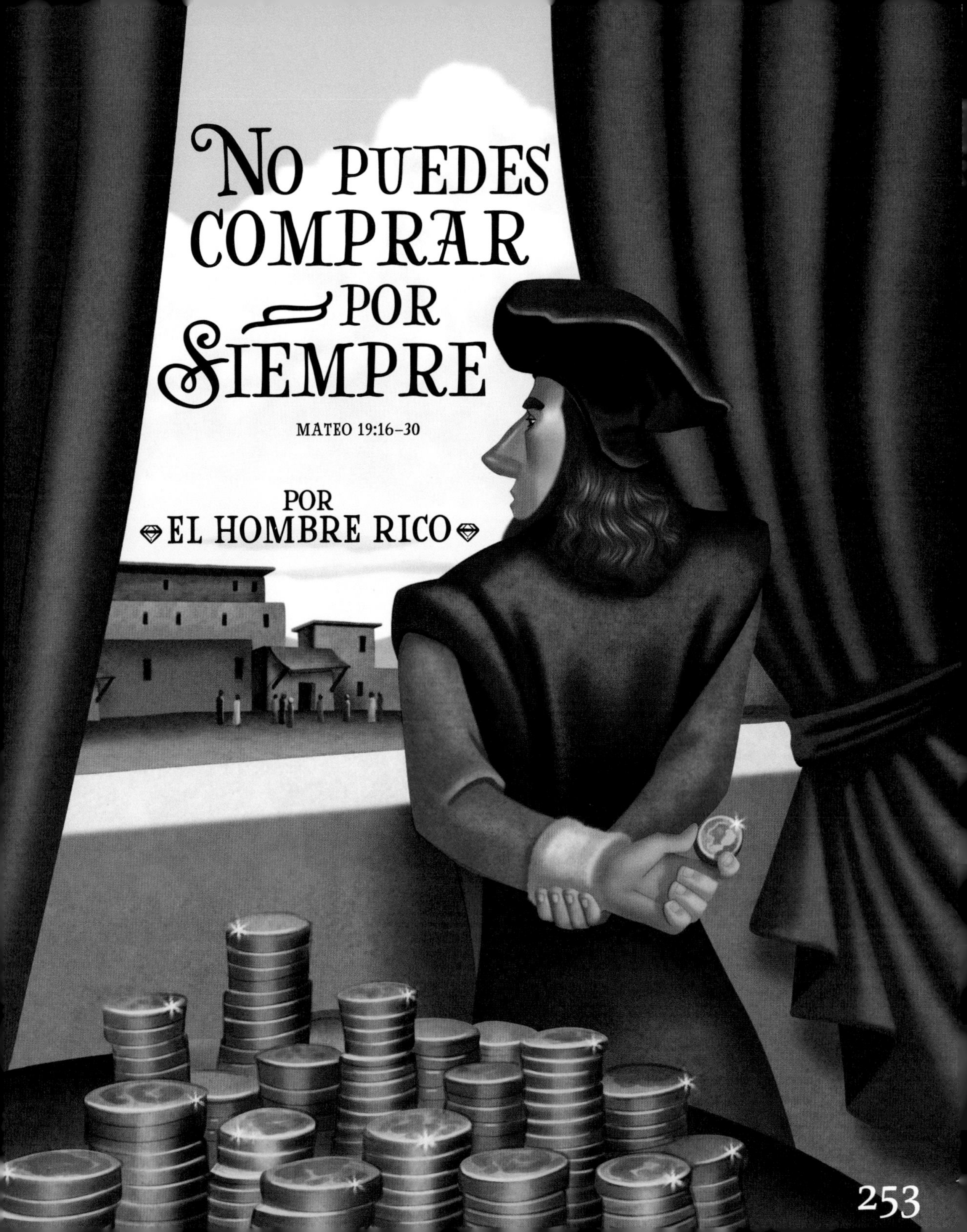

LA vida me ha ido muy bien. Realmente bien. Soy rico. Tengo más dinero del que podría gastar, y tengo todo lo que podría necesitar.

Pero si hay algo que quiero más que cualquier otra cosa, es vivir por siempre. Todo el dinero del mundo sencillamente no puede llenar este sentimiento de vacío que tengo dentro.

Había oído hablar de un maestro llamado Jesús. La gente lo llamaba Hijo de Dios. El Mesías. Decían que tenía respuestas para todo, incluso para cómo vivir por siempre.

Entonces encontré a Jesús y le pregunté:

—¿Qué tengo que hacer para vivir por siempre?

—Sencillo —respondió Jesús—. Obedece los mandamientos de Dios. No mates, no hagas trampa, no robes, no mientas, respeta a tus padres y ama a los demás.

—¡Yo he hecho todo eso! Soy un tipo muy bueno. ¿Hay algo más? —pregunté.

Jesús cruzó los brazos y dijo:

—Si eres realmente sincero, vende todo lo que tienes y da todo el dinero a los pobres. Luego ven y sígueme.

¡¿QUÉ?! ¿Vender todo lo que tengo? ¿Dar todo mi dinero? ¿Y seguir a Jesús? ¿Seguirlo *a dónde*?

Hmm.

Eso era mucho pedir. De ninguna manera podía abandonar mi vida cómoda. En ese momento, ya lo había logrado todo.

Entonces me alejé de Jesús. Mientras caminaba en dirección opuesta, escuché a Jesús hablar con Sus discípulos.

—Es sumamente difícil que los ricos entren en el reino de Dios. ¡Es como tratar de pasar un camello por el ojo de una aguja! —dijo Él.

Bueno, eso es imposible, pensé yo.

—Entonces, ¿cómo pueden salvarse las personas? —preguntó uno de Sus discípulos.

—Es imposible que la gente lo logre por sí misma. Pero con Dios, CUALQUIER COSA puede suceder —dijo Jesús—. Y Dios será muy generoso con aquellos que han renunciado a todo por Él. Aquellos que piensan que ahora son realmente importantes, terminarán en lo más bajo de la escala.

Ay. Jesús no dijo lo que yo quería escuchar. En verdad esperaba que hubiera alguna manera de comprar mi entrada al cielo. Creo que no existe.

No puedo evitar preguntarme: ¿qué deben hacer las personas para ganar su entrada al cielo? Jesús afirmó que era imposible. No podemos hacerlo por nosotros mismos. No podemos comprarla. No podemos ganarla.

Lo único que tenemos que hacer es creer. Entonces Dios la hace posible. Es un regalo de Dios para nosotros.

¿Por qué crees que queremos comprar nuestra entrada al cielo o hacer suficientes cosas buenas para llegar al cielo? Es sorprendente que en verdad esto sea un regalo, que solo Jesús mismo puede hacer posible.

EL HOMBRE RICO

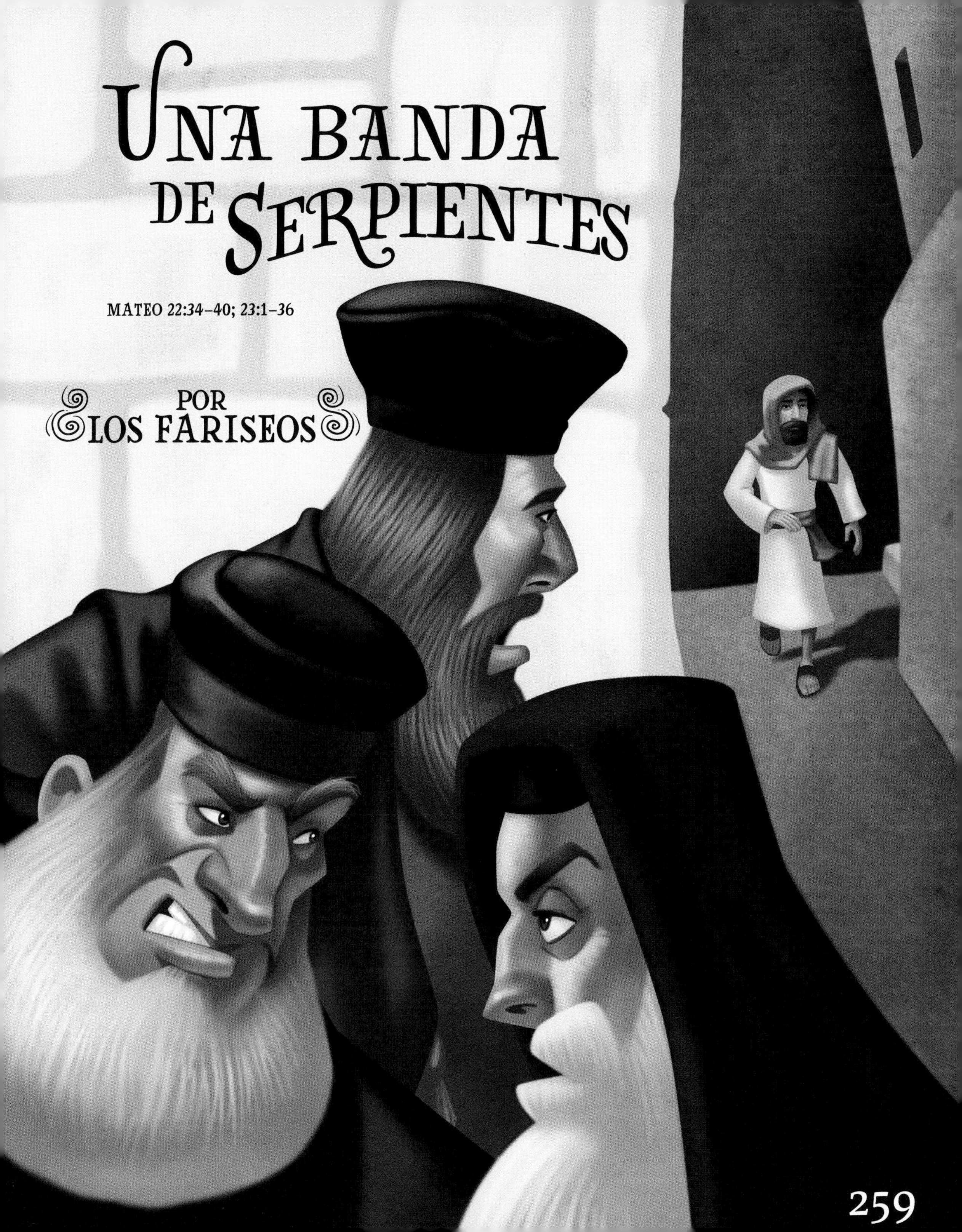

Una banda de serpientes

MATEO 22:34–40; 23:1–36

POR LOS FARISEOS

¡ESCUCHEN! ¡Las reglas son importantes! Dios lo dijo. Repite después de nosotros: las reglas son reglas y están hechas para ser obedecidas. Como líderes de nuestra religión, teníamos que asegurarnos de que las personas NO violaran las reglas. Punto. Fin de la historia.

Teníamos los ojos puestos en un nuevo desobediente de las reglas en la ciudad. Lo llamaban Jesús, y parecía que estaba planeando algo malo.

Teníamos que destruirlo. Lo único que necesitábamos era hacerle a Jesús una pregunta difícil que lo engañara y hablara en contra de Dios y la Escritura. Esto debería haber sido fácil, ¿verdad? Después de todo, NOSOTROS éramos los inteligentes. ¡Éramos los expertos de Dios!

Cuando vimos a Jesús, levantamos la barbilla, aclaramos la garganta y le preguntamos:

—¿Cuál es el mandamiento más importante? —nos sonreímos entre nosotros porque sabíamos que no había forma de que nos diera la respuesta correcta.

Pero Jesús ni siquiera dudó.

—Ama a Dios con todo lo que tienes. Pero hay un segundo mandamiento que es igual de importante. Ama a los demás tanto como a ti mismo. Si obedeces estas dos cosas, todas las demás reglas tendrán sentido.

¡RAYOS! No pudimos rebatir eso. Fruncimos el ceño, cruzamos los brazos y comenzamos a alejarnos. Pero entonces Jesús comenzó a hablar con la multitud de personas que nos rodeaban.

«Estos fariseos son buenos enseñando la ley. Deben escucharlos», comenzó a decir Jesús.

Al principio nos agradó lo que escuchamos de Él. Después de todo quizá no era tan malo. Pero luego inició un ataque; con todo.

«¡Pero NO hagan lo que hacen los fariseos! Lo único que les importa son las reglas y su apariencia. A ellos ustedes no les importan. Lo único que hacen es dificultar que se acerquen a Dios. ¡Les encanta llamar la atención, pero no los aman!», exclamó Jesús.

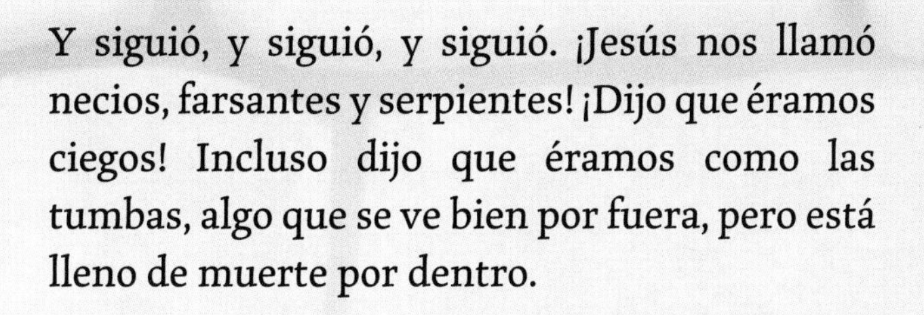

Y siguió, y siguió, y siguió. ¡Jesús nos llamó necios, farsantes y serpientes! ¡Dijo que éramos ciegos! Incluso dijo que éramos como las tumbas, algo que se ve bien por fuera, pero está lleno de muerte por dentro.

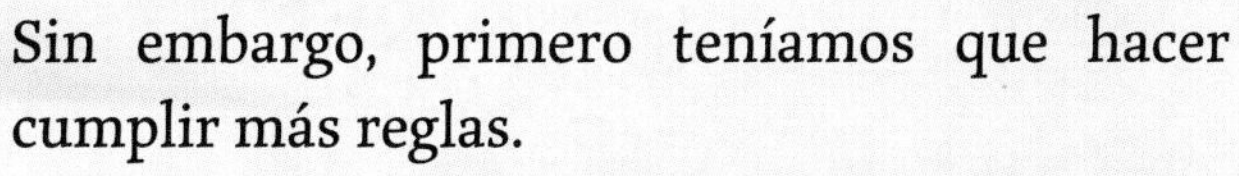

No nos agradaba Jesús. ¡Ni un poquito! Necesitábamos hacer algo con este alborotador.

Sin embargo, primero teníamos que hacer cumplir más reglas.

(Por cierto, ¿no lucen bien estas túnicas? Por supuesto, hechas de las mejores telas. Creemos que nos hacen lucir súper importantes).

¡¿Farsantes?! ¿Es eso lo que Jesús piensa que somos? ¡Enseñamos las REGLAS, por el amor de Dios! No hay nada falso en cuanto a las reglas. Después de todo, Dios las hizo. Solo estamos tratando de hacerlas... mejores. Si una regla es realmente difícil de obedecer, ¡entonces debe ser una buena regla!

Es obvio que Jesús no piensa de esa manera. Solo habla de AMAR a la gente. Eso está muy bien... hasta que alguien comience a romper las reglas nuevamente.

Hmm.

¿Qué harías *tú*? Haz estas dos preguntas a uno de tus amigos: ¿Cómo te sientes cuando lo único que a alguien le importa es que todos obedezcan las reglas? ¿Y cómo te sientes cuando alguien es amable contigo?

Lo mejor para el Mejor

JUAN 12:1–8

POR MARÍA

YO amaba mucho a Jesús. Especialmente porque no me sentía muy digna de recibir amor. ¡Pero *Él me ama*!

Quería que todos supieran que Él es el Mesías. Él vino para salvarnos y liberarnos de nuestros pecados. ¡Para mí eso tenía toda la importancia del mundo! ¡Él sana a las personas y realiza milagros que nunca antes hemos visto!

En verdad deseaba mucho hacer algo para honrarlo. Al fin y al cabo, Él es el Hijo de Dios. Se merece lo mejor que pueda ofrecerle.

Lo mejor que yo tenía era un lujoso frasco de perfume. Era muy, muy costoso: valía todo el dinero de un año entero de trabajo. Jesús ha hecho mucho por mí. ¿Cómo podría darle algo de menos valor?

Jesús estaba cenando en la casa de Lázaro con unos amigos, así que me apresuré a darle mi regalo a Jesús.

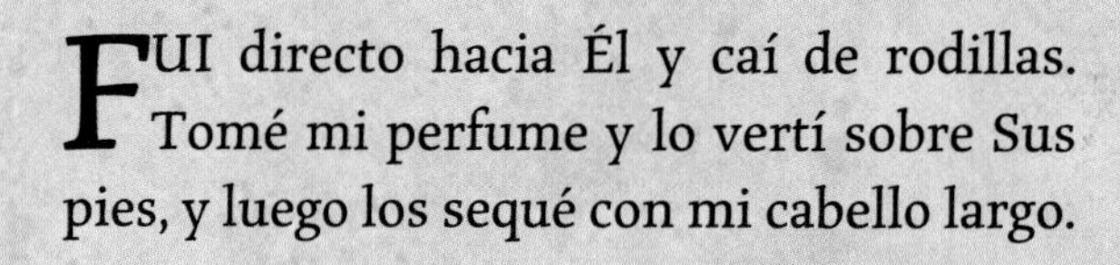

FUI directo hacia Él y caí de rodillas. Tomé mi perfume y lo vertí sobre Sus pies, y luego los sequé con mi cabello largo.

Los amigos de Jesús se quedaron estupefactos.

—¿Cómo pudiste dejar que hiciera eso? —le dijo uno de ellos a Jesús, agitando las manos en el aire.

—¡Qué desperdicio! —refunfuñó otro.

—¡Podríamos haber vendido ese perfume y haber dado el dinero a los pobres! —expresó un tercero, con el rostro enrojecido.

Jesús negó con la cabeza

—Déjala tranquila. Ella está haciendo algo bueno. Ustedes tienen toda la vida para alimentar a los pobres, pero yo no voy a estar mucho más tiempo con ustedes.

Entonces Jesús me miró a los ojos y sonrió.

—Lo que has hecho será recordado por siempre —me aseguró.

Lo volvería a hacer en un abrir y cerrar de ojos.

Le di a Jesús lo más valioso que tenía. Pero no fue lo que tú piensas; no fue ese perfume.

Fue a *mí*.

Eso es lo que Jesús quiere más que nada. Él nos quiere a nosotros. NOSOTROS somos el mejor regalo que podríamos darle a Jesús.

¿Qué es lo más valioso que *tú* posees? ¿Cómo te sentirías al darle esa cosa a otra persona? Pues algo parecido se siente al entregarnos a Jesús.

De algo estoy segura: Jesús no quiere nuestras cosas. Él quiere nuestro corazón.

Porque Te Amo

MATEO 27:27–28:10

POR JESÚS

TE voy a contar la historia más importante que se haya contado. No te será fácil escucharla. Pero te prometo esto: tiene el final más feliz en la historia de los finales felices.

Todo comenzó cuando los soldados romanos me arrestaron mientras yo oraba. Uno de mis amigos más queridos me había traicionado con ellos, y todo por un poco de dinero. Eso duele.

Me llevaron a juicio frente a Poncio Pilato, el gobernador local. La gente me acusó de ser un traidor, aunque Pilato no pudo encontrar nada que haya hecho mal. Pero de todos modos la gente insistió en matarme. ¡Solo una semana antes me habían estado aclamando! Ahora me querían muerto. Eso también duele.

Fue entonces cuando los guardias comenzaron a golpearme. Me pegaron y me escupieron. Se burlaron de mí; me llamaron «rey de los judíos», y me pusieron un manto rojo sobre los hombros. Luego hicieron una corona de espinas puntiagudas y me la pusieron en la cabeza. Eso duele mucho.

Apenas podía moverme. Pero las cosas empeoraron.

LOS guardias hicieron una gran cruz con vigas de madera. A pesar de que no me quedaban fuerzas, me hicieron cargar esa cruz, y la gente me gritaba a lo largo del camino. Era muy pesada. Cada paso fue una tortura. Cuando finalmente no pude avanzar más, hicieron que otro hombre cargara la pesada cruz por mí.

Me hicieron caminar cuesta arriba hasta una zona espeluznante que llamaban Lugar de la Calavera. El dolor era insoportable. Apenas podía tomar aliento. Los soldados intentaron darme un trago amargo para aliviar el dolor, pero no quise beber ni un trago. Necesitaba soportar cada sacudida, cada herida, cada azote. Y eran tantos.

Ahora ya no podía más.

Aun así, seguían burlándose de mí.

«Si eres el Hijo de Dios, ¿por qué no te salvas a ti mismo?», gritaban.

Pero ellos no lo sabían. No entendieron que Dios quería que yo terminara esta tarea. No sabían que este era el plan de Dios. Lo peor de todo es que no se dieron cuenta de cuánto los amaba. Cada lágrima y cada gota de sangre eran por *ellos*.

ERA casi el final. El cielo se puso negro. Cada respiración era una batalla. Nunca me había sentido tan solo en mi vida.

Bajé la cabeza. No pude volver a respirar.

Cuando morí, las cosas se pusieron aterradoras. La tierra tembló. Las rocas se partieron en dos. La gente lloró. La cortina del santuario del templo se partió en dos. Las tumbas se abrieron y los muertos resucitaron.

Eso aterrorizó a los soldados. Al momento se dieron cuenta de lo que habían hecho: me habían matado, al Hijo de Dios.

Más tarde, un hombre rico llamado José tomó mi cuerpo y lo envolvió en sábanas. Luego me enterró en una tumba tallada en las rocas y colocó una gran piedra en la entrada.

Sin embargo, mis asesinos estaban nerviosos. Me habían escuchado hablar sobre mi resurrección. Pensaron que mis seguidores podrían ir a robar mi cuerpo y afirmar que ya no estaba muerto. Entonces colocaron guardias allí para asegurarse de que nada sucediera. Pero algo *sí* sucedió.

TRES días después, todo cambió.

Tan pronto como el sol irrumpió en el cielo de la mañana, un terremoto sacudió la tumba, pues uno de los ángeles radiantes de Dios descendió y echó la piedra a un lado. ¡Luego de un salto se sentó en ella!

Los guardias se asustaron tanto que se desmayaron.

En ese momento, María Magdalena y mi otra amiga llamada María llegaron a visitar la tumba. Pero cuando vieron al ángel, se quedaron boquiabiertas.

«No tengan miedo —dijo el ángel—. Jesús ya no está aquí. ¡Está vivo otra vez! ¡Apresúrense y cuenten esto a Sus seguidores!».

¡María Magdalena y María echaron un vistazo a la tumba vacía y comenzaron a correr rápido! Estaban asustadas, emocionadas, espantadas y entusiasmadas, todo al mismo tiempo. Y cuando me vieron parado en medio del camino, corrieron aún más rápido.

«¡ESTÁS VIVO!», gritaron.

Y esta vez yo me quedaría vivo.

Para siempre.

Yo no quería que me torturaran ni me asesinaran. Me aterrorizaba. Aun así, sabía que era la única forma de salvar a todos –a todos– del mal y ayudarlos a encontrar el perdón por los errores que cometen.
Tenía que hacerlo. Y quería hacerlo.
Y lo hice porque te amo. A TI. No me canso de repetirlo. Te amo a TI mi amigo o amiga.
Lo único que tienes que hacer es creerlo. Dile a Dios ahora mismo lo que piensas de mí.
JESÚS

El Beneficio de la Duda

Por, Tomás

Juan 20:24–30

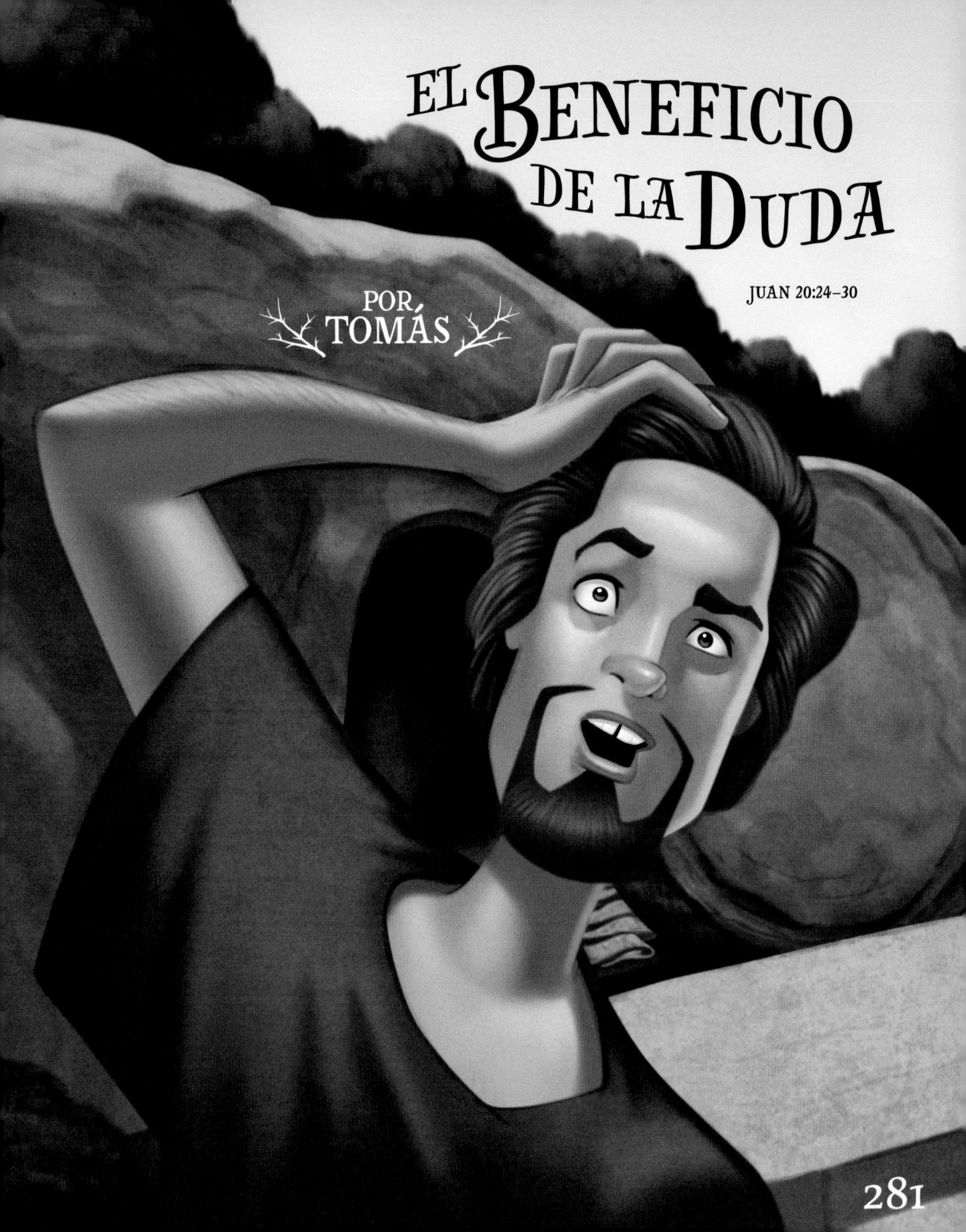

VI a Jesús morir con mis propios ojos.

Los otros discípulos me dijeron que habían visto a Jesús vivo. ¿Vivo? ¡¿De verdad?! Eso es imposible. Claro, Jesús pudo haber resucitado de entre los muertos, ¿pero resucitarse a *Sí mismo*? Lo dudo.

Necesitaba pruebas.

Mira, soy pescador desde pequeño. A menos que viera un pez real en mi red, sabía que no llevaría nada a casa para cenar.

Y sabía lo que ya había visto. Apenas pude soportar ver a los soldados romanos atravesando clavos en las manos y los pies de Jesús. Vi cómo le enterraron una lanza en Su costado. Vi a Jesús morir con mis propios ojos. Incluso vi a un amigo llevar su cuerpo sin vida a la tumba.

Además, no quería hacerme ilusiones. Amaba a Jesús con todo mi corazón. Verlo morir fue lo más difícil que me ha pasado. No quería atravesar por ese dolor otra vez.

No lo creería a menos que pudiera meter mis propios dedos en las heridas de las manos y los pies de Jesús. Quería pruebas.

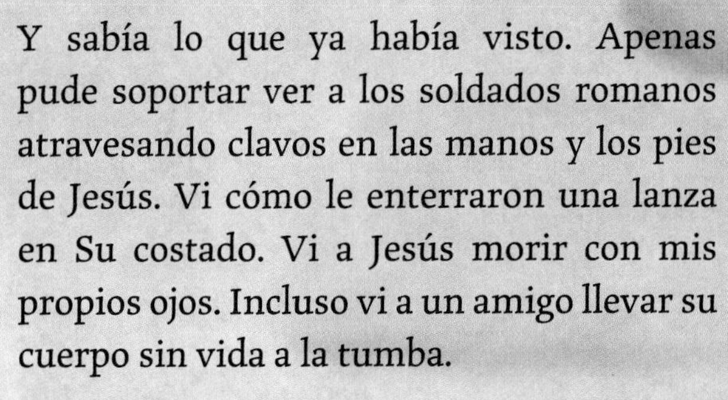

CASI una semana después, los discípulos me invitaron a una cena. Cerramos las puertas porque aún temíamos, como seguidores de Jesús, que los romanos nos estuvieran buscando.

Entonces sucedió la cosa más extraña.

De repente había otra persona en la habitación. No había abierto la puerta ni se había colado por una ventana. Él solo estaba... *allí.*

—Se parece mucho a Jesús —susurré.

Jesús sonrió y dijo: —Paz, amigos.

Luego caminó directamente hacia mí y extendió las manos.

—Aquí está tu prueba, Tomás. Vamos, toca mis heridas. Son tan reales como tú.

Las manos me temblaban cuando lentamente las extendí. Sentí la piel áspera por donde los clavos habían atravesado las manos. Toqué la marca en su costado por donde había entrado la lanza.

—¡Jesús! —grité—. ¡Realmente eres TÚ!

Jesús no me rechazó por tener algunas dudas. La gente como yo necesita ver las cosas para creerlas. Jesús lo sabía; y me amó de todos modos.

Pasé el resto de mi vida creyendo en Jesús y sirviéndole.

Jesús no temió a mis dudas, y tampoco tiene miedo de las tuyas. No obstante, también afirmó que las personas que creen en Él, a pesar de que no pueden verlo, son verdaderamente bendecidas. Tú nunca lo has visto en persona, pero Jesús quiere que de todos modos creas en Él. ¡Y serás bendecido por ello!

Aunque no veas a Jesús caminando por tu calle, Él es real y está obrando a tu alrededor. A pesar de que hoy no puedas ver el cuerpo físico de Jesús, puedes ver evidencias de Él por todas partes. Por ejemplo, cuando alguien es amable con un extraño o le da comida a una persona pobre. ¿Qué ves *tú*?

TOMÁS

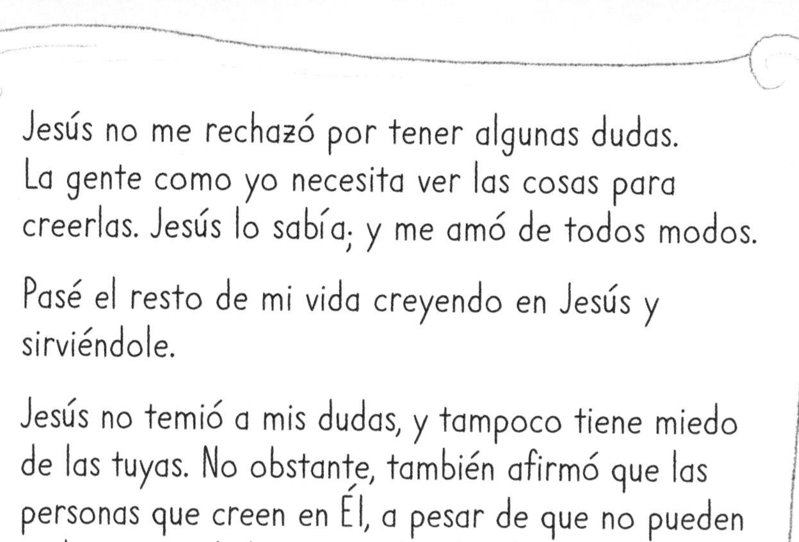

Ese es el Espíritu

HECHOS 2

POR LOS CRISTIANOS PRIMITIVOS

¿CONOCES esa sensación que tienes justo antes de entrar a tu propia fiesta de cumpleaños? Así nos sentimos en esos primeros días cuando la iglesia de Jesús recién comenzaba.

Ya habían ocurrido muchas cosas desde la muerte de Jesús. Él no solo volvió a la vida, sino que también realizó más milagros, curó a los enfermos y pasó todo el tiempo que pudo con nosotros. ¡Qué maravillosos cuarenta días!

¿Qué pasaría después?

Durante una cena con nosotros, Jesús nos dijo que nos quedáramos en Jerusalén hasta que Dios nos enviara un regalo: el Espíritu Santo. ¿Cómo sería *eso*? Después de que Jesús subió al cielo (lo cual fue un verdadero espectáculo, déjame decirte), todos Sus seguidores comenzamos a reunirnos cada vez que pudimos.

Una mañana, más de una semana después de que Jesús se fuera, estábamos juntos en una habitación cuando de repente escuchamos un FUERTE estruendo, como una especie de huracán que llenaba el lugar. Entonces, de repente, cada uno de nosotros tenía llamas de fuego danzando en la parte superior de nuestras cabezas. ¡Increíble!

Nos sentimos diferentes. Nos sentimos... llenos.

Sentimos que nos llenamos de poder.

LUEGO todos comenzamos a hablar idiomas diferentes, idiomas que ninguno de nosotros habíamos hablado jamás, y aun así nos podíamos entender. ¡Asombroso! De hecho, otros judíos en Jerusalén nos escucharon hablar en sus propios idiomas. ¡Sumamente impresionante!

La gente de la ciudad se preguntaba qué rayos estaba pasando. Nos observaban atónitos.

—¿Cómo es posible esto? —se maravillaban.

—¿Qué significa todo esto? —preguntaron.

Algunos se encogieron de hombros y dijeron:
—¡Todos están borrachos!

Pero Pedro se levantó y explicó lo que estaba sucediendo.

—Lo que están viendo nunca ha sucedido antes —afirmó Pedro—. Jesús, el Mesías, fue asesinado y resucitó para salvarnos a todos de las cosas malas que hacemos. Ahora que Jesús está en el cielo, Dios nos ha dado Su Espíritu Santo. ¡Y ahora haremos cosas increíbles para Dios!

¡Estamos muy emocionados! ¡Hagámoslo!

Maravillosas palabras de ánimo las que expresó Pedro. Solo en aquel día se unieron tres mil seguidores a nuestro grupo, y nuestra familia de la iglesia se está haciendo cada vez más grande.

Tengo la sensación de que vamos a cambiar el mundo.

Y estar llenos del Espíritu Santo de Dios significa que podemos hacer eso exactamente. Ahora nos toca a nosotros ayudar a Jesús a hacer Su obra, aquí y ahora. El Espíritu de Dios nos da el poder para hacerlo.

¡El Espíritu de Dios también puede darte poder a ti, como a nosotros! Lo único que tienes que hacer es creer en Jesús. Entonces podrás mostrar el amor de Dios a todos los que conoces.

Prueba hacerlo hoy. Haz algo para mostrarle a alguien el increíble amor de Dios. ¿Qué podrías hacer *tú* para ayudar a que otros conozcan a Jesús?

UN CRISTIANO PRIMITIVO

PRACTICAR LO QUE PREDICO

HECHOS 3

POR PEDRO

LAS personas que me conocen dicen que puedo ser… eh… muy audaz. ¡Sí, audaz! Tengo el valor de hacer cosas atrevidas, como cuando Juan y yo íbamos caminando al templo para orar.

Era un día normal: las mismas calles concurridas, la misma multitud escandalosa, lo mismo de siempre. Pero este hombre me llamó la atención. Estaba lisiado, y pedía monedas, como siempre lo hacía. Sus piernas muy delgadas estaban débiles y retorcidas, tal como lo habían estado desde que nació.

—¡Disculpe! —gritó—. ¿Pueden darme algo de dinero? ¿Lo que sea? ¡Por favor!

Me detuve y lo miré fijamente por un momento. Él también nos miró, y su mirada era un ruego. Pude sentir cómo el amor de Dios por este hombre fluía a través de mí. Recordé cuando Jesús expresó que podríamos hacer milagros tal como Él los hizo.

Ahora era mi oportunidad de hacer algo audaz.

—No tengo dinero. Pero puedo darte algo mucho mejor —dije.

Luego me llené de valentía, gracias a Jesús. Extendí mi mano y hablé.

—¡En el nombre de Jesús, levántate y camina!

Él agarró mi mano y la apretó con fuerza. Luego, por primera vez en su vida, dio un salto. El hombre cayó sobre sus pies y luego dio un paso. Y luego otro. ¡Y antes de que nos diéramos cuenta, él saltaba como un cachorro lleno de alegría!

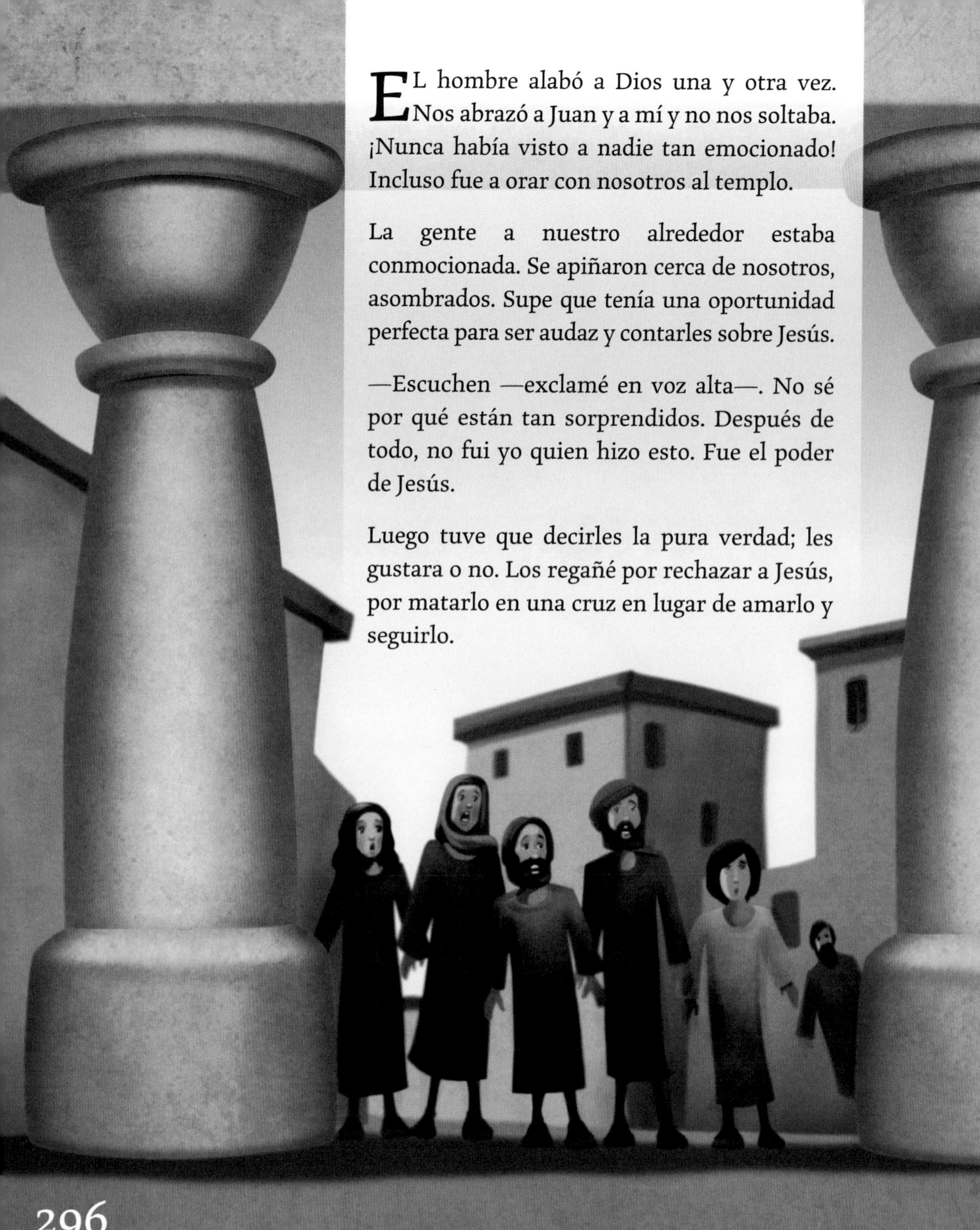

EL hombre alabó a Dios una y otra vez. Nos abrazó a Juan y a mí y no nos soltaba. ¡Nunca había visto a nadie tan emocionado! Incluso fue a orar con nosotros al templo.

La gente a nuestro alrededor estaba conmocionada. Se apiñaron cerca de nosotros, asombrados. Supe que tenía una oportunidad perfecta para ser audaz y contarles sobre Jesús.

—Escuchen —exclamé en voz alta—. No sé por qué están tan sorprendidos. Después de todo, no fui yo quien hizo esto. Fue el poder de Jesús.

Luego tuve que decirles la pura verdad; les gustara o no. Los regañé por rechazar a Jesús, por matarlo en una cruz en lugar de amarlo y seguirlo.

—Ustedes en verdad no sabían lo que estaban haciendo. Además, Jesús tuvo que morir para que se cumplieran todas las profecías. ¡Pero ahora tienen su oportunidad de hacer lo correcto! Arrepiéntanse de las cosas incorrectas que han hecho y sigan a Jesús.

Por la fe en el nombre de Jesús, este hombre fue sanado. Caminó por primera vez en su vida. ¡Consideren lo que la fe en Jesús puede hacer por *ustedes*!

Ni siquiera soy capaz de contar cuántos mendigos he visto en mi vida. He perdido la cuenta de la cantidad de personas enfermas o dolientes con las que me he cruzado a lo largo de los años. Pero a veces lo único que hace falta es que un individuo sobresalga y marque la diferencia en la vida de las personas.

Dios me dio compasión por ese hombre. Y Dios sabía que sanarlo ayudaría a las personas a comprender el poder de Jesús.

Ahora, Jesús no vino para hacer que todos estén perfectamente sanos mientras vivan aquí en la tierra. Jesús vino para darnos la oportunidad de vivir con Él por siempre, una oportunidad de ser perfectos con Él mucho después de que hayamos partido de esta tierra.

Jesús sabe qué es lo más importante: acercarte cada vez más a Él, tal como lo harías con tu mejor amigo. Tómate un tiempo ahora mismo para hablar con Jesús de la misma manera que *tú* hablarías con un amigo que está sentado a tu lado.

LOS OJOS EN EL CIELO

HECHOS 7

POR ESTEBAN

Es posible que esté muerto, pero siempre amaré a las personas que me mataron. ¿Parece extraño? Déjame explicar.

Yo no los culparía. Verdad que no. Los sacerdotes y maestros religiosos odiaban a *todo* el que dijera que Jesús era su Mesías. Y yo no tuve miedo de gritar a todo pulmón: «¡Jesús es MI Mesías!».

Discutieron conmigo hasta ponerse rojos. Intenté explicarles cómo Jesús vino en realidad para liberarnos de las viejas leyes. La verdad estaba de mi lado y ellos perdieron todas las discusiones.

Como no consiguieron callarme, me acusaron de cosas que no hice. Mintieron y dijeron que yo había dicho cosas malas sobre Dios. Y me arrastraron hasta al Concilio Supremo para hacerme un juicio.

Traté de recordarles cómo todos en nuestra historia, Abraham, Isaac, Jacob, José, Moisés, Josué, David y Salomón, nos habían guiado hasta este momento especial en el tiempo cuando Jesús vendría a salvarnos a todos.

Dios no vivía en un templo, les dije. Ahora Dios puede vivir en nuestro corazón.

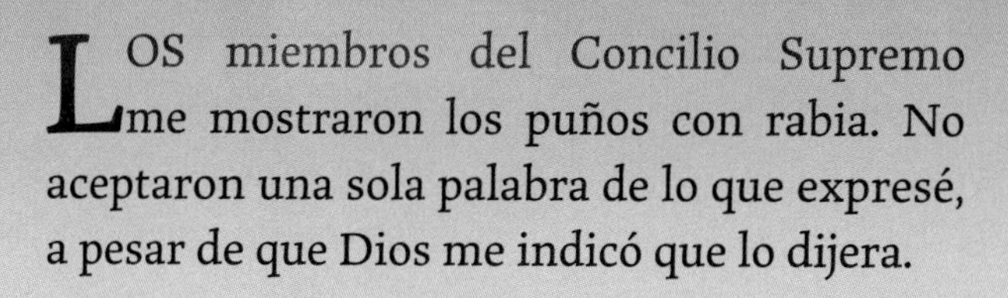

LOS miembros del Concilio Supremo me mostraron los puños con rabia. No aceptaron una sola palabra de lo que expresé, a pesar de que Dios me indicó que lo dijera.

Pero el Espíritu de Dios estaba en mí. Mi rostro resplandeció como el de un ángel. De repente pude ver el cielo mismo, y Jesús de pie justo al lado de Dios. ¡Fue una visión gloriosa!

Intenté contarles más, pero dejaron de escuchar. Se taparon los oídos para no oírme. Gritaron tan fuerte como pudieron. Luego me tomaron por los brazos y me sacaron de la ciudad.

Sus piedras estaban esperando.

Los rostros airados de los sacerdotes se retorcieron de ira mientras me lanzaban piedras. Pero yo estaba en paz. Jesús siempre nos dijo que amáramos a nuestros enemigos. Así que le rogué a Dios que no les tuviera en cuenta el daño que me hacían.

A pesar de todo, mantuve mi mirada en Jesús, seguro de Su amor por mí. Pronto estaría con Él, y nadie volvería a lastimarme.

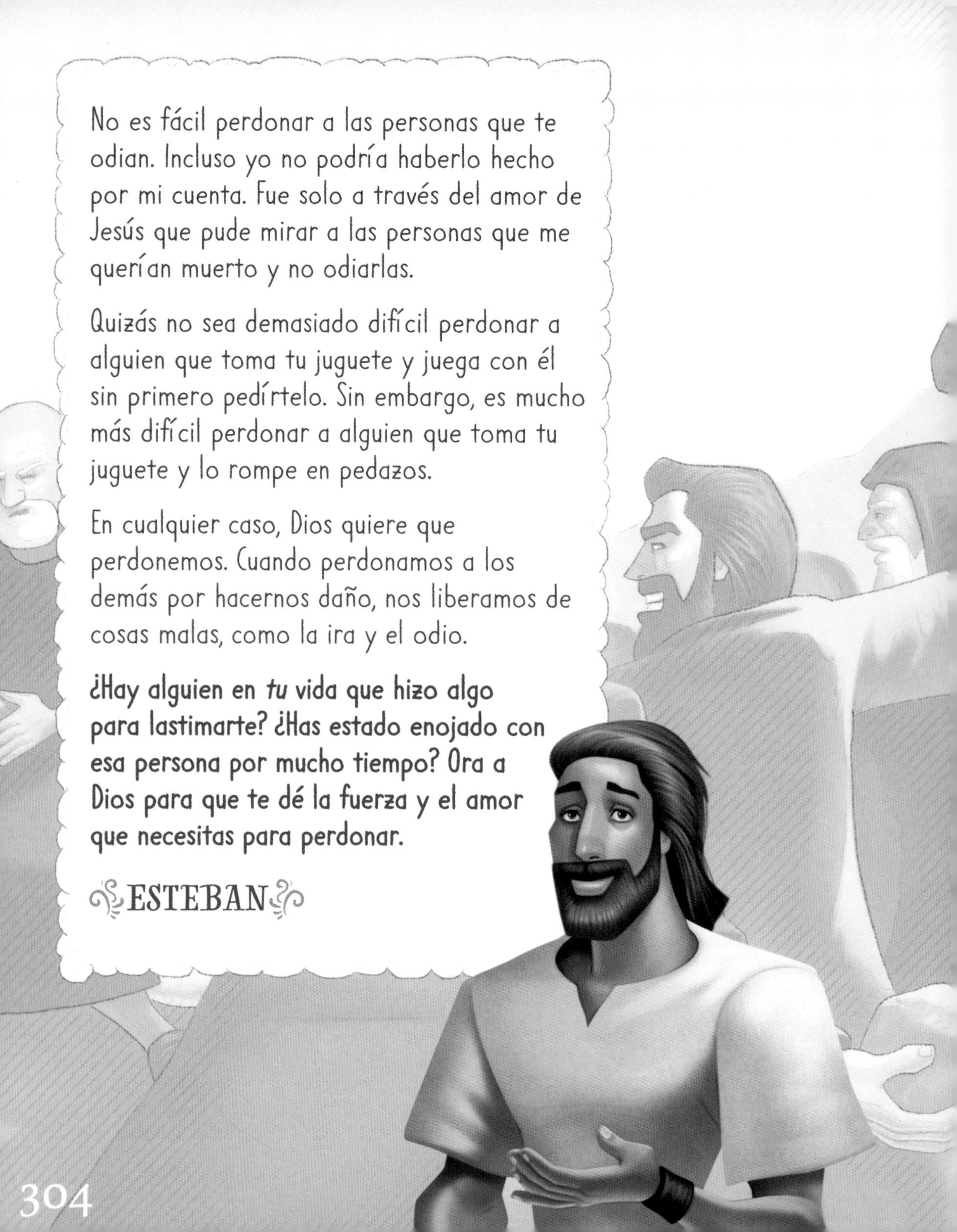

No es fácil perdonar a las personas que te odian. Incluso yo no podría haberlo hecho por mi cuenta. Fue solo a través del amor de Jesús que pude mirar a las personas que me querían muerto y no odiarlas.

Quizás no sea demasiado difícil perdonar a alguien que toma tu juguete y juega con él sin primero pedírtelo. Sin embargo, es mucho más difícil perdonar a alguien que toma tu juguete y lo rompe en pedazos.

En cualquier caso, Dios quiere que perdonemos. Cuando perdonamos a los demás por hacernos daño, nos liberamos de cosas malas, como la ira y el odio.

¿Hay alguien en *tu* vida que hizo algo para lastimarte? ¿Has estado enojado con esa persona por mucho tiempo? Ora a Dios para que te dé la fuerza y el amor que necesitas para perdonar.

ESTEBAN

Detente, Mira y Escucha

HECHOS 8:26–40

POR FELIPE

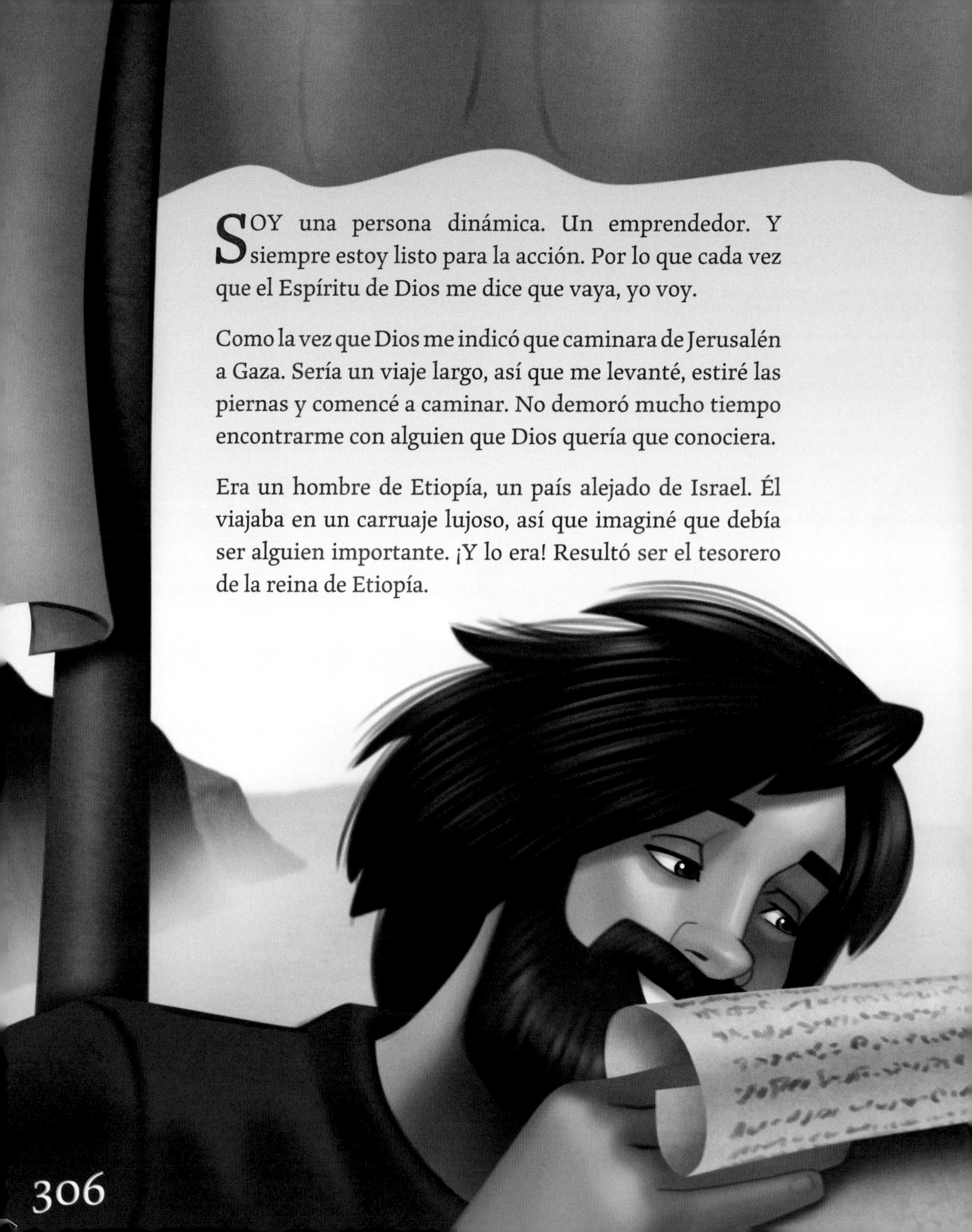

SOY una persona dinámica. Un emprendedor. Y siempre estoy listo para la acción. Por lo que cada vez que el Espíritu de Dios me dice que vaya, yo voy.

Como la vez que Dios me indicó que caminara de Jerusalén a Gaza. Sería un viaje largo, así que me levanté, estiré las piernas y comencé a caminar. No demoró mucho tiempo encontrarme con alguien que Dios quería que conociera.

Era un hombre de Etiopía, un país alejado de Israel. Él viajaba en un carruaje lujoso, así que imaginé que debía ser alguien importante. ¡Y lo era! Resultó ser el tesorero de la reina de Etiopía.

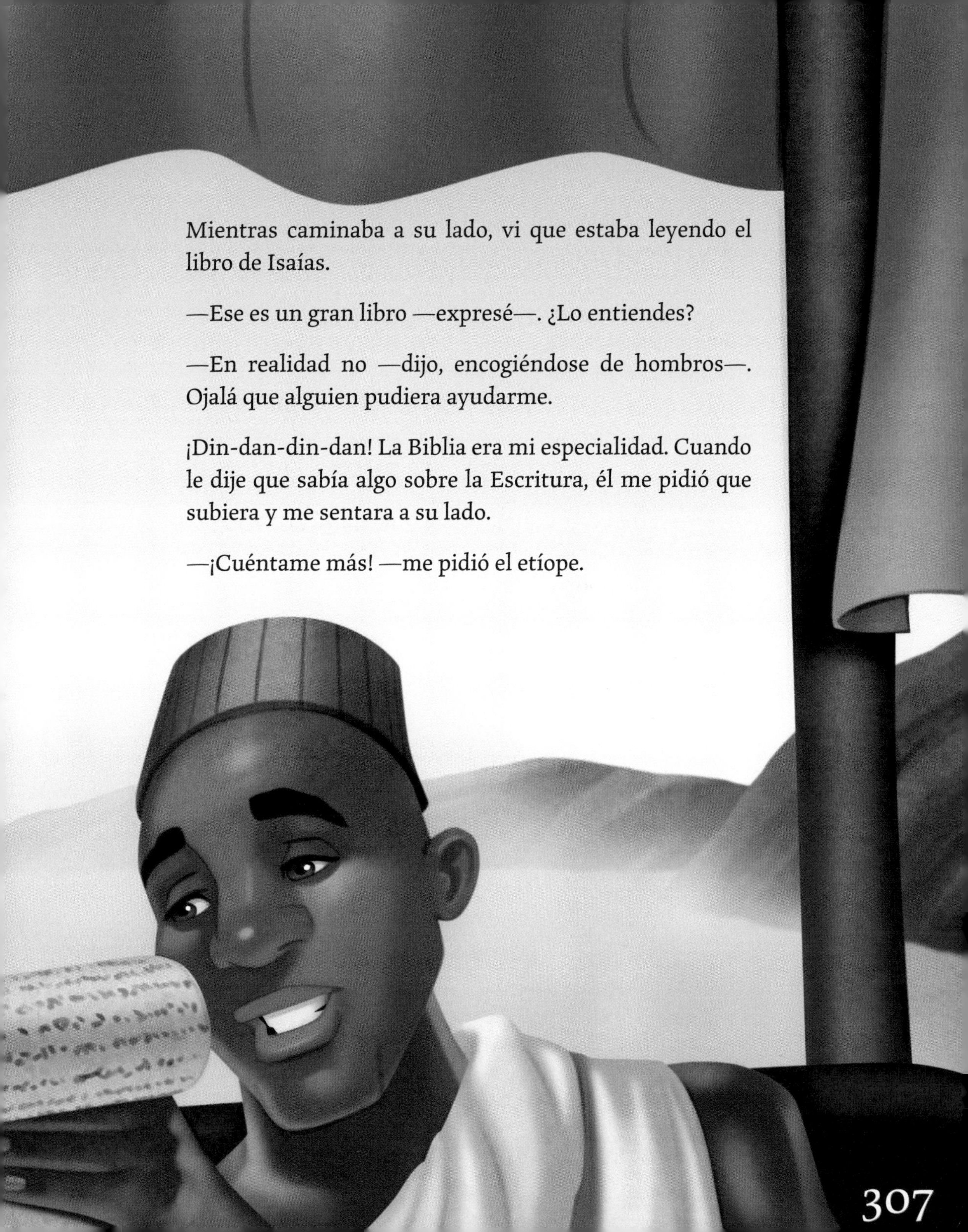

Mientras caminaba a su lado, vi que estaba leyendo el libro de Isaías.

—Ese es un gran libro —expresé—. ¿Lo entiendes?

—En realidad no —dijo, encogiéndose de hombros—. Ojalá que alguien pudiera ayudarme.

¡Din-dan-din-dan! La Biblia era mi especialidad. Cuando le dije que sabía algo sobre la Escritura, él me pidió que subiera y me sentara a su lado.

—¡Cuéntame más! —me pidió el etíope.

EL etíope leía sobre un cordero que habían matado. Pero no tenía idea de sobre qué hablaba el libro.

¡Hora de actuar! Le conté todo en cuanto a las buenas noticias de Jesús, el Cordero de Dios. Sobre cómo Isaías había predicho que Jesús vendría y moriría por nosotros. Sobre cómo Jesús hizo posible que cada uno de nosotros se hiciera amigo de Dios. Incluso le conté sobre el bautismo y cómo esta es una forma de demostrar que creemos en Jesús.

—¡Oye, allí hay agua! —señaló el etíope—. ¿Puedes bautizarme ahora mismo?

Como dije, soy un hombre de acción. Entonces, por supuesto, dije que sí. Detuvimos el carruaje y saltamos. Entramos juntos al río, y lo bauticé en el acto.

Entonces sucedió algo extraño.

Cuando el etíope salió del agua, ¡debe haberse sorprendido porque yo había desaparecido! ¡El Espíritu de Dios me arrebató, con cuerpo y todo, a otra ciudad!

(Aunque supe que de todos modos el etíope estaba sumamente feliz. Continuó su camino regocijándose por su nueva fe en Jesús).

Yo fui uno de los doce discípulos de Jesús, por lo que sé algo en cuanto a ver a Dios en acción. A veces Dios nos da un pequeño empujón. ¡Otras veces Él nos levanta en peso!

Ambas formas son obra de Dios. Y ambas formas pueden conducir a cosas maravillosas. Dios me empujó a emprender un viaje, y tuve la oportunidad de compartir el amor de Jesús con alguien. Entonces Él realizó un milagro, y fue una historia que nunca olvidaré.

El Espíritu de Dios también hace eso por *ti*. ¿Alguna vez has sentido un golpecito en lo profundo de tu mente que te dice que hagas algo bueno por alguien? Ese podría ser el Espíritu de Dios. ¿O te ha venido un pensamiento que te recuerda a alguien por quien podrías orar? Ese también es el Espíritu de Dios.

Mantente atento a Dios. Intenta prestar atención durante el resto del día a cualquier empujón que sientas para hacer algo amable por un amigo.

FELIPE

El Malo convertido en Bueno

HECHOS 9:1–19

POR SAULO

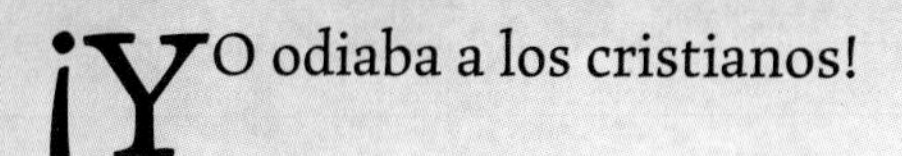

¡YO odiaba a los cristianos!

Los seguidores de Jesús me ponían furioso. ¡Los odiaba! Me sacaban de mis casillas. Si no estaban en la cárcel, o ya muertos, me aseguraría de que todos terminaran allí de una forma u otra.

Pero la última vez que intenté hacerles daño, Dios se interpuso en mi camino.

Yo iba con una misión. Me dirigía a Damasco para buscar más de esos fastidiosos cristianos y encarcelarlos. Planeaba encadenarlos y hacerlos pagar por creer en Jesús. Estaba loco por reírme de ellos cuando lloraran de dolor… ¡oh, qué ilusión tenía!

Pero allí estaba, en el medio del camino, pensando en cuántos cristianos más podría lastimar, cuando una luz resplandeciente descendió del cielo justo encima de mí. Era tan brillante que me hizo caer de rodillas.

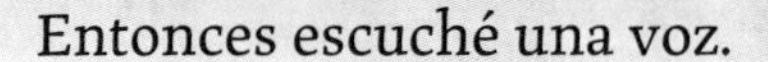

Entonces escuché una voz.

—¡Saulo! ¡Saulo! ¿Por qué me haces tanto daño?

—¿Quién... quién... quién eres? —exclamé, y mi mandíbula se abrió hasta el suelo.

—Soy yo, Jesús —contestó la voz—. Y es a MÍ a quien haces daño. Quiero que vayas a la ciudad, y luego te diré qué harás.

Los amigos que estaban conmigo se quedaron confundidos y sin palabras. También escucharon la voz, pero no vieron a nadie más alrededor. ¡Qué extraño! Me ayudaron a levantarme y me sacudieron la ropa.

Pero cuando abrí los ojos, no pude ver nada.

TODO en mi vida cambiaba de manera muy rápida.

Mis amigos me llevaron a una casa en Damasco, y me quedé allí sentado durante tres días. Estaba asustado. No podía ver. No pude comer. No pude beber.

Entonces Dios me dio una visión. Me mostró que un hombre llamado Ananías vendría y me ayudaría a recuperar la vista. Mientras tanto, en otra parte de la ciudad, Ananías no estaba tan seguro de eso. Había escuchado sobre mí y cuánto yo odiaba a las personas como él que seguían a Jesús.

Pero Dios le aseguró que yo sería un hombre cambiado. Y tenía razón. Después de esta experiencia, nunca más podría lastimar a otro cristiano.

Efectivamente, Ananías vino a la casa. Temblando, puso sus manos sobre mí. ¡Entonces ocurrió un milagro! De mis ojos cayó algo parecido a escamas, y pude ver de nuevo.

Eso me bastó para cambiar de actitud. Yo me hice cristiano también, y después de eso comencé a hacerme amigo de otros creyentes. *¡Oye, estos cristianos no son tan malos después de todo!* Me dije a mí mismo. Mis ojos habían sido abiertos en más de un sentido.

Si alguien te dice que la gente no puede cambiar, solo recuerda mi historia. Estaba perdido, pero Dios me encontró. Estaba ciego, pero Dios me abrió los ojos. No era fácil de amar, pero Dios me amó.

¡Mi vida no fue lo único que cambió, sino que Dios incluso cambió mi nombre de Saulo a Pablo! Llegué a ser el peor enemigo de los cristianos, pero ahora soy su mayor defensor. Y todo es porque Jesús me amaba y quería que estuviera cerca de Él. Ahora que conozco a Dios, sé que Jesús es verdaderamente Su Hijo.

Al igual que yo, *tú* también puedes cambiar. ¿Hay algo en tu vida que te gustaría cambiar? ¿Algo que quisieras dejar de hacer? ¿Quizás hay algo bueno que te gustaría comenzar a hacer? Ora en este momento y pídele a Dios que te cambie.

PABLO

Estremecidos, pero no abandonados

HECHOS 16:16–40

POR SILAS

LA vida de un misionero puede ser difícil. A nosotros nos encanta la parte de contarles a todos sobre Jesús. Sin embargo, Pablo y yo hemos pasado juntos por muchas cosas difíciles. Y el problema en el que nos metimos en Filipos fue *realmente* colosal.

El dilema comenzó cuando nos encontramos con una jovencita que era adivina. Sus dueños ganaban muchísimo dinero gracias a sus habilidades. No sabían que dentro de ella tenía un espíritu maligno que la ayudaba a ver el futuro.

De todos modos, esta señorita comenzó a seguirnos y gritar ante todos: «¡Estos son hombres de Dios! ¡Están aquí para decirles cómo ser salvos!». Eso era magnífico y todo, pero ella seguía gritándolo, día tras día, tras día.

Finalmente, Pablo no pudo soportarlo más. Se dio la vuelta y, con el poder de Dios, le ordenó al espíritu repugnante y malvado que saliera de la jovencita.

Y salió.

¡Por el poder de Jesús, ella era libre! Pero ahora sus dueños ya no podían ganar dinero con ella. ¡Y se pusieron *furiosos*!

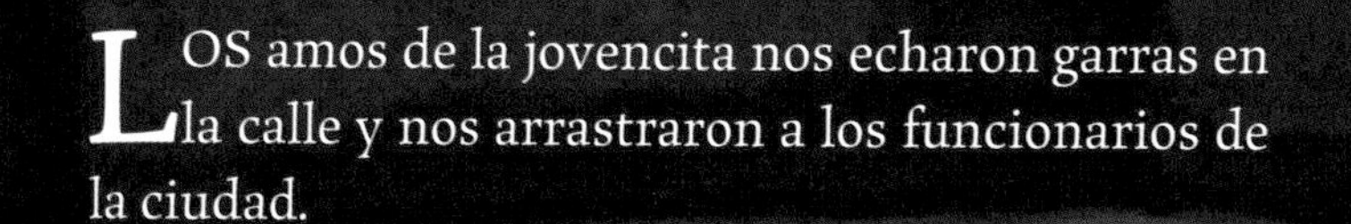

LOS amos de la jovencita nos echaron garras en la calle y nos arrastraron a los funcionarios de la ciudad.

«¡Estos tipos son unos problemáticos! —gritaron—. Esa religión extraña de ellos está alborotando a toda la ciudad. ¡Y están violando la ley!».

La turba nos atacó con rapidez. Nos golpearon con varas grandes y nos robaron la ropa. Todo se puso borroso. Y antes que nos diéramos cuenta estábamos encerrados en un calabozo, ensangrentados y magullados, con los pies sujetos a un cepo.

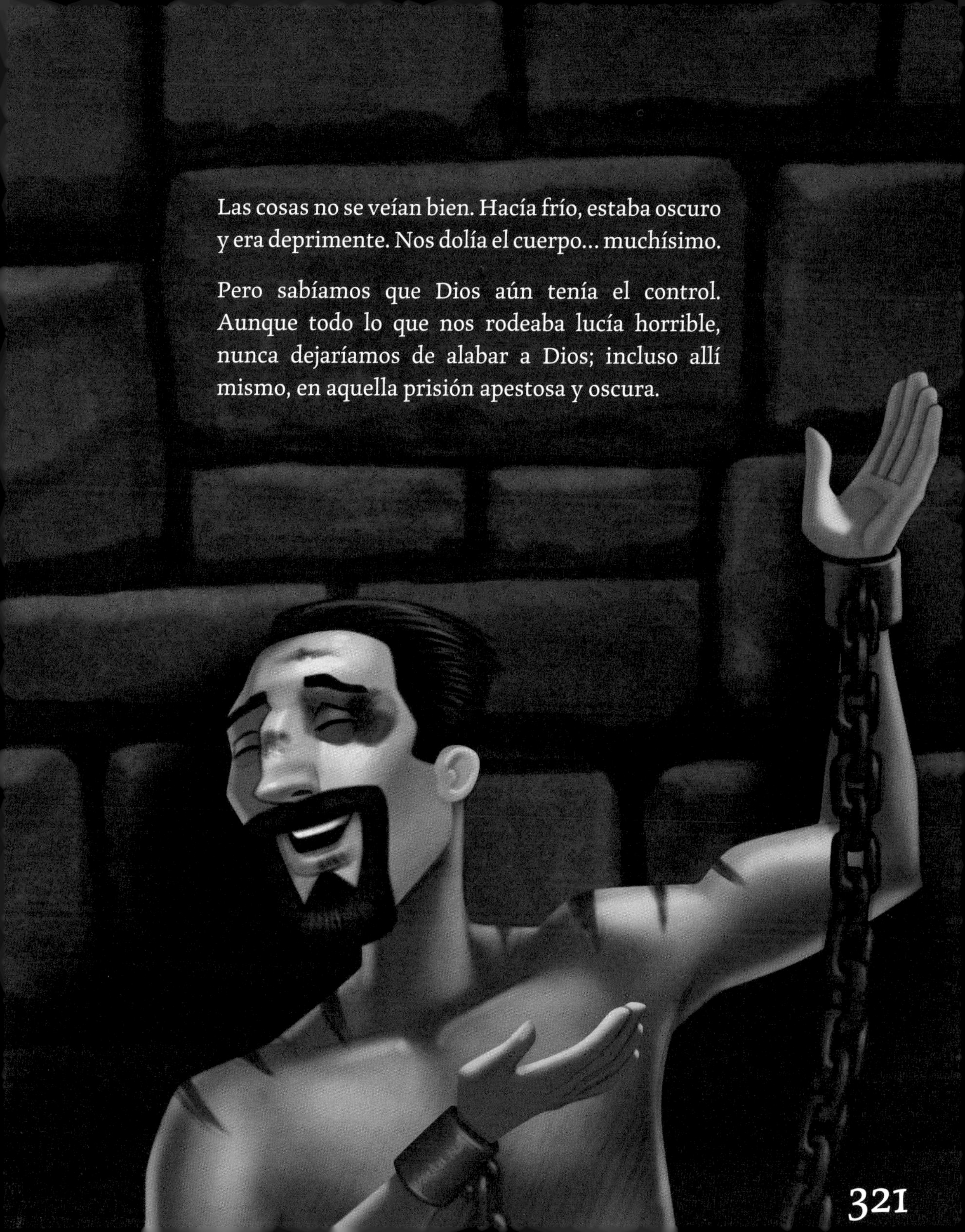

Las cosas no se veían bien. Hacía frío, estaba oscuro y era deprimente. Nos dolía el cuerpo... muchísimo.

Pero sabíamos que Dios aún tenía el control. Aunque todo lo que nos rodeaba lucía horrible, nunca dejaríamos de alabar a Dios; incluso allí mismo, en aquella prisión apestosa y oscura.

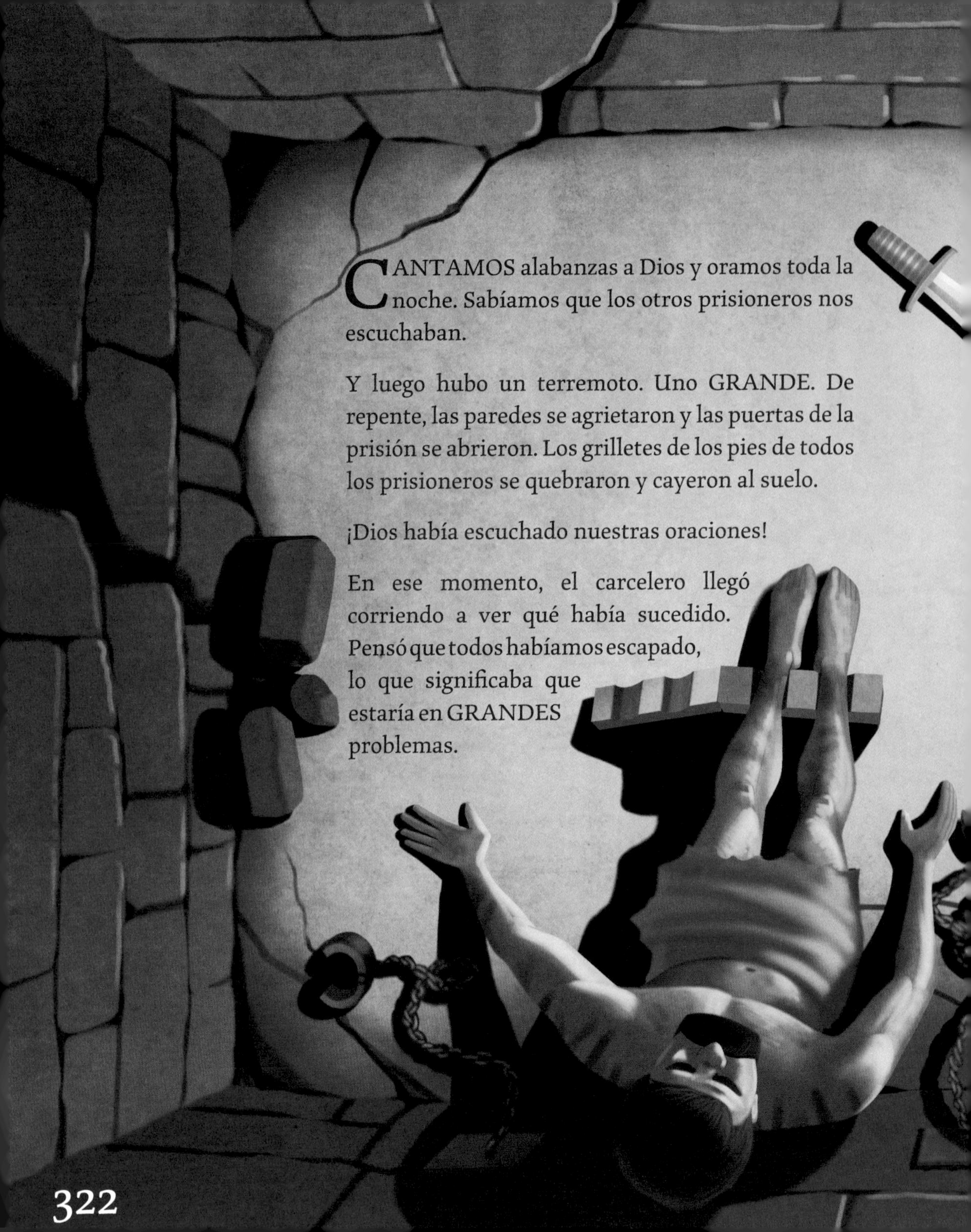

CANTAMOS alabanzas a Dios y oramos toda la noche. Sabíamos que los otros prisioneros nos escuchaban.

Y luego hubo un terremoto. Uno GRANDE. De repente, las paredes se agrietaron y las puertas de la prisión se abrieron. Los grilletes de los pies de todos los prisioneros se quebraron y cayeron al suelo.

¡Dios había escuchado nuestras oraciones!

En ese momento, el carcelero llegó corriendo a ver qué había sucedido. Pensó que todos habíamos escapado, lo que significaba que estaría en GRANDES problemas.

—¡No te preocupes! —le dijimos—. ¡Aún estamos todos aquí!

El carcelero tembló de miedo. Sabía que Dios había venido a rescatarnos.

—¿Cómo puede este poderoso Dios de ustedes salvarme? —preguntó.

Le contamos al carcelero todo sobre las buenas noticias de Jesús. Su rostro se iluminó de esperanza.

Por extraño que parezca, nos llevó a su casa y nos presentó a su familia. Aunque era media noche, nos limpió y curó nuestras heridas. Incluso nos dio algo de comida.

Le expresé al carcelero que Dios lo amaba. «Cuando crees en Jesús, toda tu familia puede salvarse», dije.

El carcelero y su familia rebozaban de gozo. ¡Ellos también querían creer en Jesús!

A la mañana siguiente, el carcelero se enteró de que los funcionarios de la ciudad habían decidido liberarnos. Incluso nos dijeron que lamentaban lo que nos hicieron. ¡Guauu!

Después de eso, pudimos seguir haciendo lo que más nos gustaba: contar a más personas sobre Jesús.

No voy a decirte que me gusta que me golpeen y me arrojen a los calabozos. No me gusta ni un poquito. ¡Es terrible!

Pero nunca olvido que Dios siempre tiene el control. Y mejor que eso, Dios permitió que Pablo y yo pasáramos por esa horrible situación para que pudiéramos ayudar a que el carcelero y su familia conocieran a Jesús.

Cuando suceden cosas malas, es difícil recordar que Dios aún tiene el control. No tenemos que culpar a Dios. En cambio, podemos alabarlo, agradecerle y orar para que abra un camino a través de los momentos difíciles. ¡Quién sabe qué plan tiene Dios preparado!

¿Qué haces cuando las cosas se ponen difíciles? ¿Enfadarte? ¿Ir a esconderte en algún lado? ¿Tal vez llorar un poco? Pase lo que pase, solo haz lo que yo hice: orar. Tal vez incluso canta una canción. Y como siempre, Dios estará contigo. ¡Y podría sorprenderte con algo *realmente* bueno!

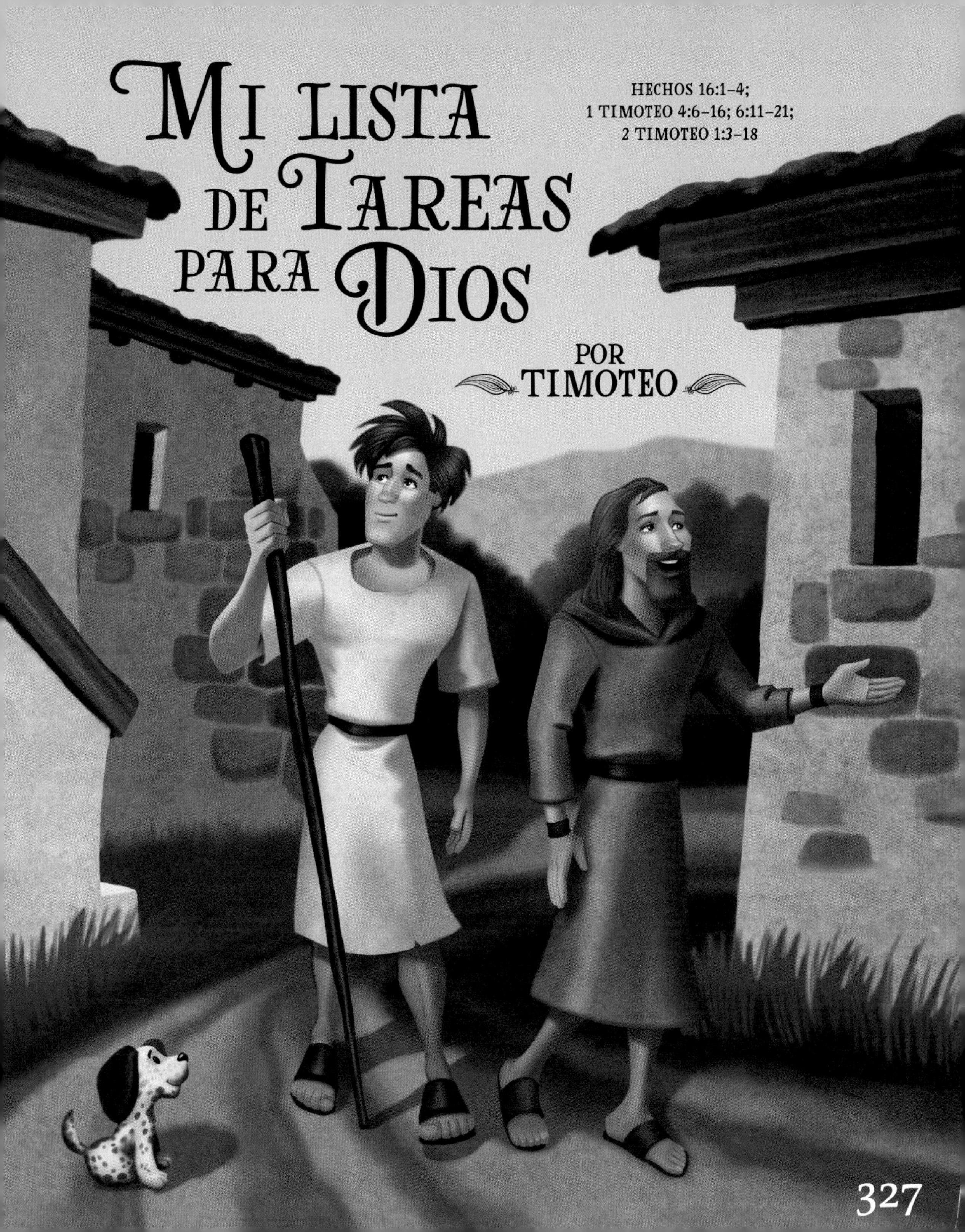

Mi lista de tareas para Dios

HECHOS 16:1–4;
1 TIMOTEO 4:6–16; 6:11–21;
2 TIMOTEO 1:3–18

POR TIMOTEO

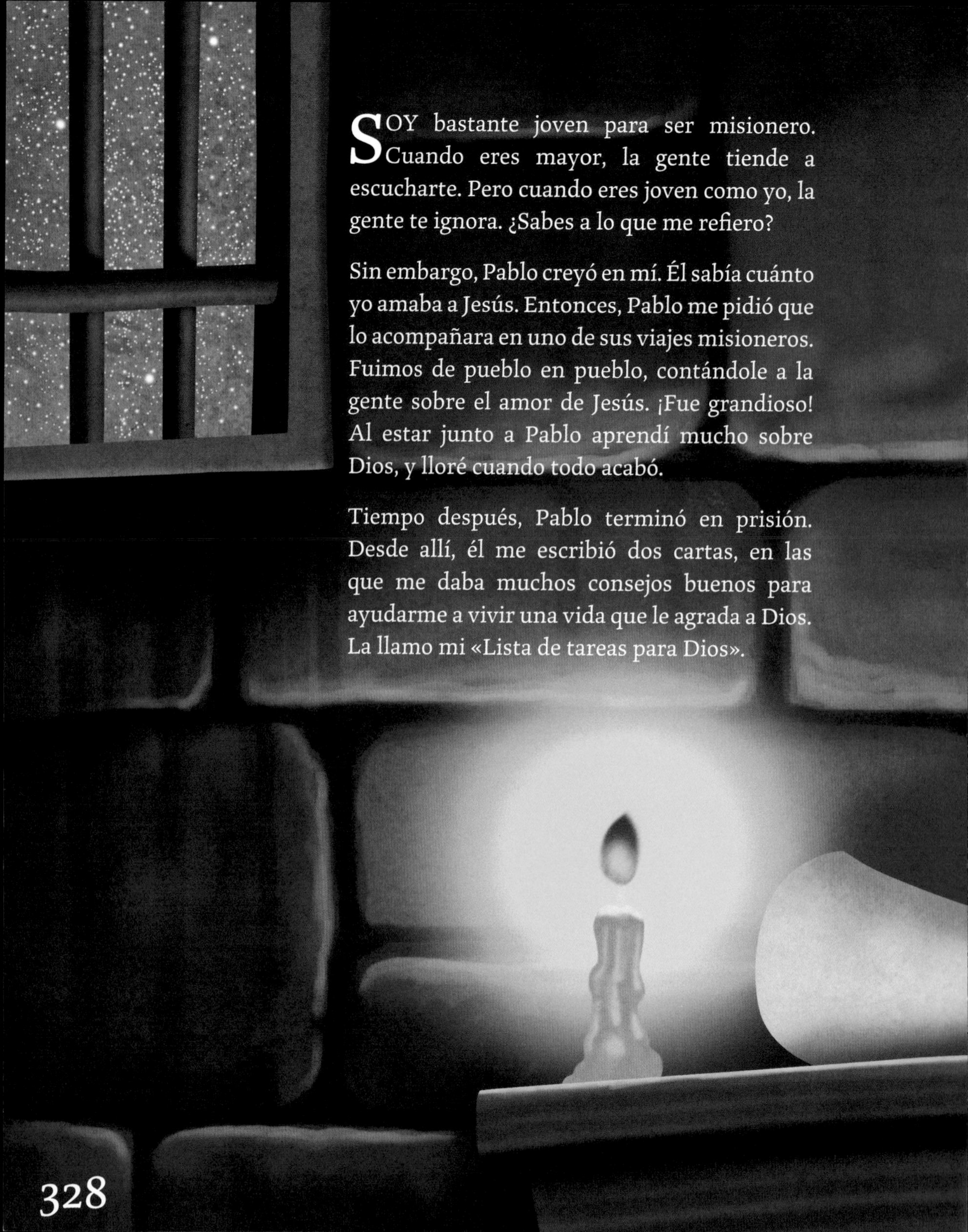

SOY bastante joven para ser misionero. Cuando eres mayor, la gente tiende a escucharte. Pero cuando eres joven como yo, la gente te ignora. ¿Sabes a lo que me refiero?

Sin embargo, Pablo creyó en mí. Él sabía cuánto yo amaba a Jesús. Entonces, Pablo me pidió que lo acompañara en uno de sus viajes misioneros. Fuimos de pueblo en pueblo, contándole a la gente sobre el amor de Jesús. ¡Fue grandioso! Al estar junto a Pablo aprendí mucho sobre Dios, y lloré cuando todo acabó.

Tiempo después, Pablo terminó en prisión. Desde allí, él me escribió dos cartas, en las que me daba muchos consejos buenos para ayudarme a vivir una vida que le agrada a Dios. La llamo mi «Lista de tareas para Dios».

- Es bueno mantener tu cuerpo saludable, pero aún mejor es mantener tu espíritu saludable.
- Que las palabras de Jesús sean tu alimento más importante.
- Aunque seas joven, puedes ser un gran ejemplo de cómo amar a los demás.
- No pierdas el tiempo discutiendo con la gente; no vale la pena.
- Pon siempre tu esperanza en Dios, y en nada más.
- Dios te ha dado un don, así que úsalo cada vez que puedas.
- Mantente fiel a lo que es correcto.

- ¡Huye del mal lo más rápido que puedas!
- ¡Defiende tu fe con todas tus fuerzas!
- No confíes en el dinero; este no dura.
- Más bien confía en Dios. Él te dará todo lo que necesitas para disfrutar la vida.
- Si tienes dinero, haz cosas buenas con él, como ayudar a otras personas.
- Cuéntale a la gente todo lo que sabes sobre Jesús.

- Haz lo que puedas por mantener tu fe avivada.
- Dios no quiere que tengas miedo. Nunca. Sino que consideres el amor como tu fuente de poder.
- Nunca te avergüences de contarle a la gente sobre Jesús. ¡Ellos necesitan escuchar las buenas noticias!
- Conoces la verdad sobre Dios, así que deja que el Espíritu Santo cuide esa verdad en tu corazón.
- Jesús regresará algún día. ¡Prepárate!

Otra cosa que Pablo me expresó en sus cartas fue lo contento que estaba de que mi madre y mi abuela me transmitieran su amor por Jesús. Mi familia es una prueba de que los jóvenes, los ancianos y gente de todas las edades, pueden estar cerca de Jesús.

No necesitas peinar canas para contarle a la gente sobre el amor de Dios. Toda persona, a cualquier edad, puede dejar que Dios la use para llevar cosas buenas a la vida de otras personas.

Quizás haya un millón de cosas que no puedas hacer. Por ejemplo, conducir una carroza, construir una fortaleza o pastorear un rebaño de mil ovejas. Pero Dios siempre te mostrará las maneras de compartir Su amor, sin importar lo joven que seas.

Haz algo amable hoy por alguien de tu edad. Dile algo agradable, dale un regalo o haz algo para ayudarlo. ¡Prueba el amor de Dios!

USTEDES TIENEN TALENTO
HECHOS 18:1–23
POR
AQUILA y
PRISCILA

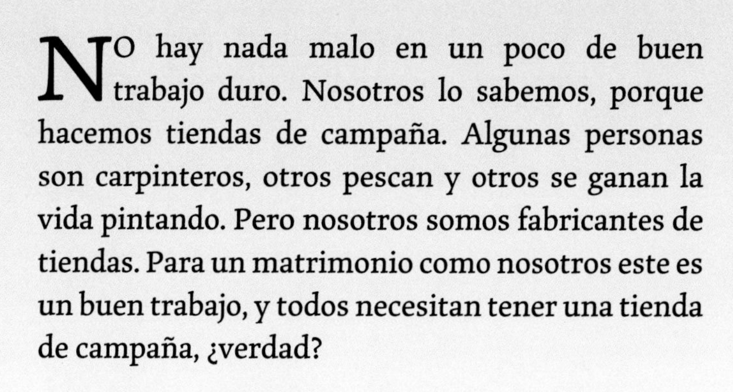

No hay nada malo en un poco de buen trabajo duro. Nosotros lo sabemos, porque hacemos tiendas de campaña. Algunas personas son carpinteros, otros pescan y otros se ganan la vida pintando. Pero nosotros somos fabricantes de tiendas. Para un matrimonio como nosotros este es un buen trabajo, y todos necesitan tener una tienda de campaña, ¿verdad?

Pero hacer tiendas era solo un trabajo. Nuestro verdadero trabajo era para Dios. Queríamos que todos conocieran sobre Jesús.

Cuando Pablo vino y comenzó a trabajar con nosotros nos sentimos sumamente felices. Ya sabes, él también era fabricante de tiendas. Y era excelente al hablar con la gente sobre Jesús. De hecho, cada día de reposo íbamos con Pablo a la iglesia judía local donde él trataba de convencer a la gente para que creyera en Jesús.

A algunas personas les encantaba lo que Pablo decía, pero otras no querían escucharlo. Una vez se enojaron tanto con Pablo que lo arrastraron a la corte para que lo encarcelaran.

(Afortunadamente, el juez pensó que era una ridiculez de ellos y les dijo a todos que se fueran).

UNA de las mejores cosas que aprendimos de Pablo fue algo que Dios le dijo una noche en una visión:

«¡No te quedes callado! No tengas miedo de decir lo que tienes que decir. Siempre estoy contigo y no dejaré que nadie te haga daño», aseguró Dios.

Eso era exactamente lo que necesitábamos escuchar. Aunque a algunas personas no les caía bien que habláramos de Jesús todo el tiempo, Él nos cuidó y nos permitió seguir compartiendo las buenas noticias.

Nos gustó trabajar con Pablo. También nos encantó poder realizar nuestro trabajo: hacer tiendas Y hablarle a la gente sobre Jesús. Así que decidimos quedarnos con Pablo por un tiempo.

Incluso navegamos con Pablo a otras ciudades, y usamos nuestras tiendas y nuestros talentos para Dios, en todas las formas que pudimos.

Una tienda de campaña es un lugar donde uno vive. Todos necesitamos un lugar donde nuestros cuerpos puedan descansar y estar seguros.

Pero tu corazón necesita un tipo de refugio diferente. Tu corazón necesita vivir con Dios. Él es el único que puede llenar tu corazón de amor, tanto amor que puedes compartirlo con otras personas.

Cuando estamos cerca de Dios, podemos usar nuestros talentos para hacer cosas buenas para Él. TODA PERSONA puede servir a Dios, independientemente de lo que él o ella hagan. Ya sea cocinero, atleta, soldado, médico o estudiante, Dios le ha dado habilidades a cada persona que pueden ser utilizadas para compartir el amor de Jesús.

¿En qué cosa eres *tú* realmente bueno? ¿Cómo puedes usar ese talento de una manera que sirva a Dios?

AQUILA y PRISCILA

El Fin que es También el Comienzo

APOCALIPSIS 21–22

POR JUAN

HE visto el futuro y creo que te va a encantar.

Dios me dio una ojeada de cómo será cuando todo como lo conocemos llegue a su fin, y Dios creará un mundo completamente nuevo para nosotros. (Por cierto, Dios dijo que podía contarte todo esto).

Este nuevo mundo te dejará boquiabierto. Su capital se llamará la nueva Jerusalén, y será ENORME. Todo será de oro, tan claro como el vidrio. Estará rodeada de ángeles que custodian una muralla gigante. ¡Cada una de las doce puertas estará hecha de una sola perla!

En la ciudad, Dios y Jesús se sentarán en un trono, y brillarán más que cualquier cosa que hayas visto jamás. ¡Ya ni siquiera necesitaremos el sol! Y del trono fluirá un río con el agua de la vida, transparente como el cristal. A cada lado del río crecerá el árbol de la vida, y este da fruto que nunca se acaba.

¡Lo mejor de todo es que Dios y Jesús vivirán allí! ¡Y NOSOTROS seremos Sus amigos, Sus vecinos!

Será el lugar más perfecto que puedas imaginar. No más lágrimas, no más dolor, no más noches, no más muerte, y ni una sombra de maldad por ningún lado.

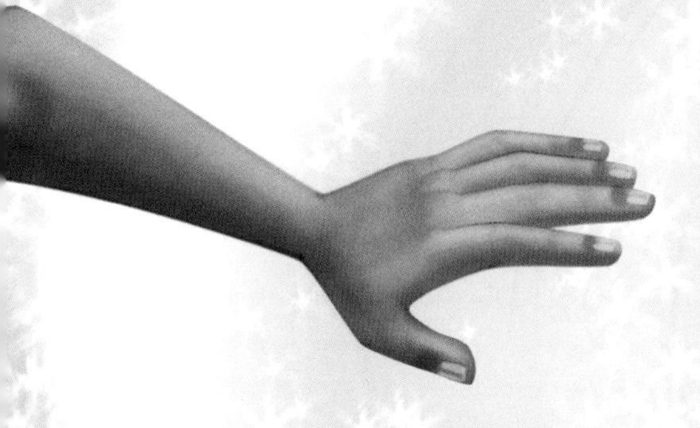

A la ciudad de Dios solo podrán entrar aquellos que aman a Jesús. Solo los que tienen sed de Dios pueden vivir allí.

Y nosotros, Sus hijos, ¡finalmente podremos ver el rostro de Dios! Adoraremos a Dios como nunca antes lo hemos adorado.

¡QUÉ MARAVILLOSO!

Cuando recibí esta visión, me invadió la alegría. ¡La idea de vivir por siempre con Dios y Su Hijo, Jesús, hizo que mi corazón no cupiera dentro de mí!

Ahora todo lo que esperamos es que Jesús regrese.

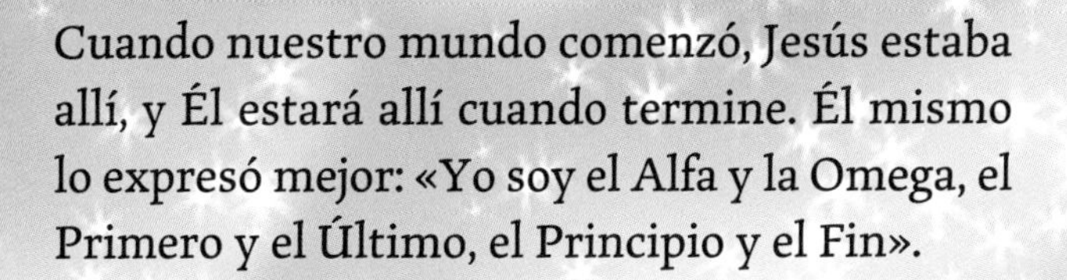

Cuando nuestro mundo comenzó, Jesús estaba allí, y Él estará allí cuando termine. Él mismo lo expresó mejor: «Yo soy el Alfa y la Omega, el Primero y el Último, el Principio y el Fin».

Por ahora, nosotros escuchamos. Esperamos a Jesús. Mantenemos nuestros ojos y oídos atentos. Porque pronto un día, todos escucharemos al Espíritu de Dios decir, de una vez por todas, «Ven».

Amén.

Bueno, aquí estamos. Ha sido un viaje increíble, ¿verdad? Milagros, maravillas, derrotas y victorias. Y, cómo la visión de Dios me mostró, la esperanza de un gran futuro.

Pero esta historia aún no ha terminado.

TÚ eres una parte tan importante de la historia de Dios como cualquiera de nosotros: Adán, Eva, Abraham, Moisés, Rahab, Ester, y yo, Juan. Nosotros solo echamos a andar las cosas. Cada uno de nosotros tenía una amistad especial con Dios.

Ahora es tu turno.

Dios también quiere una amistad contigo. Jesús quiere estar contigo por siempre. Si crees en Él, ¡algún día también podrás vivir con Dios en esa espectacular ciudad de oro!

Pero ahora mismo *tú* tienes tu parte en la historia de Dios. Ahora es tu oportunidad de compartir el amor de Dios con las personas en tu vida. Ahora es el momento para que le muestres al mundo cómo todos pueden ser amigos de Dios también. ¡Puedes contarle a la gente sobre Jesús!

Entonces ve.

Nunca estás solo.
¡Puedes hacerlo!

Tu Historia

POR
TI

TÚ eres una historia viva y andante.

Como lo hizo con Adán y Eva, Dios te ha dado el don de la vida... y la libertad de elegir entre lo correcto y lo incorrecto. Al igual que José, tu vida tendrá innumerables altibajos... y un propósito que quizás aún no entiendas. Al igual que Tomás, es posible que de vez en cuando tengas dudas, pero Jesús puede usar tus dudas para fortalecer aún más tu fe.

Y en todas las circunstancias, Dios estará justo a tu lado.

Hay un versículo en la Biblia que expresa lo siguiente: «Así que ahora podemos alegrarnos por nuestra nueva y maravillosa relación con Dios gracias a que nuestro Señor Jesucristo nos hizo **amigos de Dios**» (Romanos 5:11).

Eso es correcto. Jesús hizo posible que TÚ seas amigo de Dios, como lo fueron Abraham y Sara. Y el rey David. Y Ester y Abigail. Y Moisés, Josué, Daniel, Rahab, Gedeón, María, Pablo, Silas y todos los demás sobre los cuales has leído en este libro.

Cuando Dios es tu amigo, tu historia cambia. La vida se convierte en una nueva aventura, donde cada paso que das es una oportunidad de experimentar el amor de Dios y compartirlo con los demás. Una aventura donde comienzas a ver a Dios obrando a tu alrededor. Donde Dios puede sorprenderte con dones que te hacen más poderoso de lo que creías posible.

Todo comienza con Jesús. Por Su gran amor, Su historia puede ser *tu* historia. Su alegría puede ser *tu* alegría. Y Su poder puede ser *tu* poder.

Tu vida es la pluma, el amor de Dios es la tinta y el mundo es tu papel.

¿Cuál será *tu* historia?

COSAS QUE HE APRENDIDO DE LA BIBLIA:

MIS PARTES FAVORITAS DE LA BIBLIA:

JEFF White trabaja como desarrollador principal de contenido para Group Publishing, donde ha sido autor o coautor de quince libros enfocados en el ministerio de la iglesia y el desarrollo de la fe. Le apasiona ayudar a las personas a desarrollar su creatividad y dirige talleres de creatividad en conferencias ministeriales en todo el país. Graduado de la Universidad de Biola, Jeff también ha publicado varios libros para lectores jóvenes, como por ejemplo *The Runaway Candy Cane* [El bastón de caramelo fugitivo].

DAVID Harrington tuvo amor por el arte desde una edad temprana cuando incursionó en todo, y finalmente se encaminó por una carrera en el dibujo ilustrativo. Hizo sus estudios en el Art Center College of Design en Pasadena, donde se graduó con honores como licenciado en bellas artes. David ha ilustrado varios libros para niños y le gusta practicar snowboard, surfear y pasar tiempo con su esposa e hijos en Laguna Hills, California.